白神话

山海经故事

5 争斗的雷神和祝融

沈启◎著　李欣怡◎绘

孔學堂書局

角色介绍

阿健和人鱼

阿健是北方少年，为了治好妈妈的病，他甘愿千里跋涉去寻找药物。人鱼长得像娃娃鱼，有着人一样的面孔，四只脚长得像鸡爪子一样。

李财和马腹

李财的爹是镇子上最有钱的人，李财娇生惯养，喜欢捉弄人。马腹的体形跟老虎相似，长着人一样的面孔，脾气暴躁。

雷神和祝融

雷神长着人的脑袋、龙的身体，喜欢拍打自己的肚皮玩。祝融是火神，长着人的面孔、野兽的身子，出行的时候乘着两条龙。

长右

长得像猿猴，脑袋上长着四只耳朵，它愤怒的时候发出的叫声就像人的呻吟声，以喝水为生。

瞿如

长得像鸮，脑袋是白色的，长着三只脚，有和人一样的脸孔，发出的叫声就像在叫自己的名字。

序

儿童最好的生命养料

经朋友介绍，有幸认识沈启老师。首次相见，一起吃饭，沈启老师向我简要介绍了以《山海经》为写作素材创作儿童文学作品的事情。在他绘声绘色的讲述中，我能感受到沈老师对古典文学浓厚的兴趣和对文学创作的极大热情。我虽然是中文系毕业，并且多年教语文，但很惭愧没有通读过《山海经》。

后来，沈老师将电子版书稿发给我，希望我写一篇序言。我诚惶诚恐，一来我不是名家大咖，二来儿童文学不是我主要研究的领域。但沈老师让我写序，是对我的信任，而且我们都是山西人，如果能帮一点忙，那是很荣幸的事。更主要的是新教育实验一向很重视儿童阅读，所以，就权当这篇文章是我这个后学者学习沈老师著作的心得体会。

书籍是儿童成长最重要的精神营养。读书不仅有助于儿童养成正确的人生观、价值观和世界观，而且对他们后期的学习乃至终身发展都有深远的影响。大量读书，不仅能激发阅读兴趣、培养阅读习惯、提升阅读能力，而且能丰富知识、增长见识、陶冶情操、增强想象力和联想力。爱阅读的孩子，往往爱学习，勤思考，善钻研。所以，童书对儿童健康成长有极其重要、不可忽视的价值。

新教育实验非常重视儿童阅读。朱永新老师说，“一所没有阅读的学校永远不可能有真正的教育”“阅读，是教育的基石；阅读，也是新教育实验的基石”“营造书香校园是新教育十大行动之首，也是新教育最为基础、最为关键、最为重要、最有特色的行动”。新教育专门成立了新阅读研究所，研制中小学生阅读书目，开发了“晨诵午读暮省”课程。朱永新老师还认为，“一个人的阅读史就是他的精神发育史”“阅读是个体生命走向幸福完整的必由之路”。

我的成长就受益于童书。回忆起童年，最美的时光是阅读连环画的时候。二十世纪八九十年代的山西农村，没有电子产品，没有手机，没有电子游戏，甚至连电都是到了晚上才有。父亲是语文老师，所以重视我的阅读，经常从学校的图书馆借回大量连环画和图书供我阅读。我阅读一本本连环画，沉浸在奇妙、古老、动人的故事中，超越现实环境，神驰古今中外，常常忘记吃饭和休息。用今天的话来说，处于心流状态。我正是在这种无功利的阅读中潜移默化地塑造了价值观，懵懵懂懂地知道什么是对的，什么是错的，什么是应该做的，什么是不应该做的。在这种有趣味的阅读中，增加了识字量，培养了阅读的兴趣、阅读的习惯和一定的阅读能力。从小学到大学，我最喜欢的就是语文课，从来没有为写作文发愁过。后来，我高中学文科，大学读中文系，乃至硕士、博士一路读下来，都与童年时培养的阅读兴趣和阅读习惯有密切的关系。

童书对于儿童生命如此重要，但当下儿童的阅读现状并不乐观。一方面是学校过量地作业挤占了阅读的时间，另一方面是无处不在的电子产品吸引了儿童的注意力。儿童自控力差，很难抵抗电子游戏、短视频的吸引，不少儿童在家抱着手机，沉迷于电子游戏和短视频，有的甚至深陷其中，不能自拔。长期沉浸手机，满足于感官的刺激，就越来越难有耐心阅读纸质书籍，难有沉浸式的深度阅读体验。

因此，为儿童创作优质的童书，让儿童摆脱电子产品的束缚，投入阅读中，不仅有深远的意义，更是现实的迫切需求。从这个角度讲，沈老师的这套神话故事丛书，可以说是又为全国的青少年增加了丰盛的精神食粮。

沈老师笔下的故事充满魅力，有宝贵的价值。现实与神话结合，古典与现代交织，对儿童有很强的吸引力。比如《阿健和人鱼》描写了阿健救母的动人故事。阿健曾经过着无忧无虑的生活，但突如其来的瘟疫让妈妈身患重症。为了能治好妈妈的病，阿健进深山，访名医，学游泳，上海岛，战海盗，救人鱼，最终治好了妈妈的病。故事语言生动形象、描写细腻，故事情节充满幻想、可读性强。从教育功能看，这个故事传递了孝敬父母的传统美德、不畏艰难的坚强意志、保护动物的生态观念，弘扬了中华民族的传统美德。儿童阅读这样的故事，有助于在潜移默化中增强文化自信，塑造正确、健康的价值观。

在众多的童书中，沈老师的童书有鲜明的独特性。童书中，有《男生贾里》这样的校园小说，有《草房子》这样的成长小说，有《汤姆·索亚历险记》这样的冒险小说，有《苏武牧羊》这样的历史小说，有《夏洛的网》这样的童话小说，有《地心游记》这样的科幻小说，还有《第七条猎狗》这样的动物小说。沈老师塑造的故事融历史、传奇、神话于一体，其中的动物、人物形象取材于志怪小说《山海经》。这样独特的构思，不仅使故事有了厚重感，增加了奇幻的色彩，而且有利于激发儿童对古典文学的好奇和兴趣。也许，有的孩子会通过阅读这本书而埋下阅读甚至研究《山海经》的种子，从而在潜移默化中培养热爱中华优秀传统文化的情感。从这个角度讲，这本书为传播古典文学提供了新的思路。正如最近比较火的游戏《黑神话：悟空》，其大量人物造型取材自山西等地的寺庙雕塑，激发了大众对古建筑的兴趣，带动了当地文旅产业的发展。由此也给我们启发：传统文化是储量丰富的资源库，是最能引发大众共鸣的话题，是激发创作灵感的点金石，如何创新运用，值得文艺创作者探究。

这套丛书既适合家长购买给孩子阅读，也适合学校的老师们用来给学生开发儿童阅读课程，如此，更能发挥书籍的作用和价值。我相信，孩子们一定会非常喜欢。最后，期待沈老师能继续为孩子们创作出更多优秀的童书，成为儿童文学界的又一座高峰！

郝晓东

（博士，新网师执行主任）

Contents 目录

阿健和人鱼

浑不吝的李财

勾魂的游戏

善良的瞿如

阿健和人鱼

人　鱼　　《山海经》之中山经

原　文　　又西一百四十里，曰傅山，无草木，多瑶碧。厌染之水出于其阳，而南流注于洛，其中多人鱼。

译　文　　再往西一百四十里，有座山叫傅山，山上没有花草树木，盛产瑶碧一类的玉石。厌染水从这座山的南麓发源，然后向南流入洛水，在附近的水域里，生活着许多人鱼。

一、恐怖的瘟疫

大街上一片凄惨，店铺全都关门了，街道上空无一人，只有墙内院子中传出的撕心裂肺的哭声。

这次病毒感染悄无声息，却传播迅速，昨天还是一个个鲜活的生命，今天就突然离世了。

这种疾病不仅致死率极高，还会导致残疾。许多幸存者也成了半身不遂的残疾人，他们的腰部以下全失去了知觉，每天像活死人一样躺在床上，不能动，不能下地，只能用一双空洞无神的眼睛，无力地望着屋顶。

阿健的爷爷、奶奶、爸爸、哥哥、姐姐，都在这次瘟疫中失去了生命，现在妈妈也躺在了床上，只有他和妹妹阿珠尚未被感染。

曾经无忧无虑的阿健，现在不得不肩负起全家的重担。

阿健是个早产儿，出生时不会哭也不会笑，体重只有三斤半，爷爷一度以为他是个傻子，想要遗弃他。

奶奶哭着死活不肯，妈妈也不顾自己还在坐月子，跪下来求爷爷，哭着说："不管他是傻是呆，他都是我的心头肉，我一定要把他养大。"

爸爸也在一旁求着爷爷，爷爷无奈地摇了摇头，不再管这件事了。

日子一天天过去，阿健也一天天长大，直到五岁的时候，他才开始说话，而且身体一直很孱弱。

好在妈妈非常疼爱他，经常给他做好吃的，处处护着他，这样阿健的身体才得以健健康康的。只是阿健不怎么爱说话，大家一度还以为他脑子有问题。

这场突如其来的瘟疫摧毁了整个镇子，人们再也听不到欢声笑语，也听不到叫卖声，镇子里除了哭声，还是哭声。

可人死不能复生，生活还得继续。阿健现在最大的心愿就是能治好妈妈的病，为此他愿意做任何事情，愿意承受任何苦难。

阿健承包了家里所有的活计，还要挣钱养活妈妈和妹妹。他一有时间就会出门寻找名医，为妈妈治病。

二、为妈妈寻找名医

在院子里，人们正忙着脱谷。一排排谷穗整齐地躺在地上，几个人手持木棍，棍子的上边带一块宽二十公分、长六十公分的木板，木板跟棍子之间连接着一个滑轮，人们用力拍打着谷穗，谷粒就从谷穗上掉了下来。

阿健在米行帮工，听工友阿狸说，在一座离这儿很远的深山里，有一位医术高明的老中医，许多患有疑难杂症的人，经他诊治后，都能逐渐恢复健康。

阿健动心了，尽管找到这位老中医并不容易，不仅路途遥远，还得翻越几座险峻的大山，途中甚至有可能遭到野兽袭击。想到母亲日复一日忍受病痛折磨，阿健深感心疼，他决定抽时间去寻找这位老中医，请求他为母亲治病。

在一个阳光明媚的日子里，阿健带着简单的行囊和一些干粮出发了，一路上，他风餐露宿，有时候一天都喝不到一点水，嗓子干得快要冒烟了。尽管如此，一想到母亲的病有机会被治愈，他就又打起了精神，继续前行。

经过了湍急的河流、崎岖的山路，阿健一路问询，终于找到了隐居深山的老中医。

阿健详细向老中医描述了母亲的病情，老中医沉思片刻，似乎想说什么，但又没有说出口，只是摇了摇头，对阿健说道："小伙子，你的孝心可嘉，但遗憾的是你母亲的病情十分严重，几乎没有治愈的可能。”

阿健看着老中医，斩钉截铁地说道：“只要有一线希望，我就不会放弃。”

老中医被阿健的决心感动了，略作沉吟后他缓缓告诉阿健：“其实也不是完全没有办法，只是做起来极其艰难，成功的可能性微乎其微。你必须先找到神秘的人鱼，然后让人鱼指引你，找到海底的紫贝，有紫贝的肉作药引，这病就能根治。要找到人鱼，你必须先学会游泳，然后再游到海岛上去寻找，但这几乎是不可能的事。”

阿健听了老中医的话，没有丝毫退缩，他向老中医打听了海岛的位置，然后向老中医深深鞠躬致谢，又磕了三个响头，便启程回家了。

三、系着绳子下水

阿健住在北方，北方的孩子不像南方的孩子熟识水性，擅长游泳，只有一小部分北方的孩子有机会在水塘里、湖里或者水沟里玩水。

阿健生活的镇子东头有一个大水塘，夏天，孩子们就在水塘里玩水，女人们则在水塘边上洗衣服。

胆子大的小媳妇有时会调侃光屁股的孩子几句，羞得孩子们蹲在水里不敢出来。

可现在这种景象已经不存在了，也没有人去水塘边洗衣服了，只有这水塘里的水静静地守着这镇子。

阿健怕水，一见到水他就头晕。他曾多次来到水塘边，试图下水，但每次都被吓得退了回去，始终不敢尝试。

回到家后，阿健看着躺在床上的妈妈，心中满是自责。他想起自己对老中医说过的话，苦恼自己真是胆小懦弱，连水都不敢下，想游往海岛简直是痴人说梦。

经过一天的挣扎，第二天傍晚，阿健拿着一根绳子到了水塘边，他将绳子的一头系在树上，一头系在自己腰上，然后慢慢走进水里。刚开始，他不敢看水，一直闭着眼睛。他紧紧地抓住绳子，过了很久才慢慢睁开眼睛。水漫到了他的腰，他看着看着也就不害怕了。他慢慢地往下蹲，蹲到水漫到脖子的地方。一次又一次，他练习着，逐渐适应了水中的环境。

蜻蜓在水塘上空来回转悠着，一会儿在水里点一下，一会儿又停到了水草上。

阿健在水里玩了大约一个小时后，便穿上衣服回家了。他想着明天下水就不用系绳子了，还在心里给自己打了打气。

四、学会了游泳

经过几天的练习，阿健已经完全不怕水了。他开始学习游泳，他先用两手撑住地面，然后用脚打水，弄得水花四处飞溅。

水塘周围一个人也没有，这个萧瑟的镇子已经失去了往日的生机，许多乡亲都病倒在床上。

阿健想着，如果有一天自己真的从人鱼那里拿到了紫贝，不仅能治好妈妈的病，还能治好乡亲们的病。那样一来，池塘就又会恢复往日的热闹，又会有人去那里洗衣服，也会有孩子过来玩水，池塘每天都会是充满欢声笑语的。

世界上所有的问题都最怕“认真”二字，人只要努力，就少有不成功的。

阿健反复练习着，渐渐地，他会狗刨了，慢慢地又学会了仰泳、蛙泳和自由泳。现在，他唯一需要的就是锻炼自己的耐力，从水塘这边游到那边，还要锻炼自己的憋气能力，在水里的憋气时间越长，以后在水里遇到危险的概率就越低。

“宝剑锋从磨砺出，梅花香自苦寒来。”一天、两天、三天……阿健每天都要抽出时间到水塘里锻炼。

如今，水塘已经困不住阿健了，他可以轻轻松松地在水塘里转一圈了。他现在已经开始想着要去湖里锻炼，练习征服更远的水程，练习在水里应对可能遇到的各种危险情况。

湖里跟水塘里的感觉真的不一样，站在岸边，阿健感觉湖大得让人有些窒息。从湖的一边望到另一边，对岸只是一个小黑点。如果没有足够的耐力和良好的水性，游到

对岸简直比登天还难。

把妈妈的病治好，把乡亲们的病治好，每当想到这些，阿健便感觉什么都不害怕了，他勇敢地跳进了湖水里。

五、在湖里练习

阳光照在湖面上，波光粼粼，岸边的柳树随风摇曳，充满勃勃生机。

不过，水塘小，浮力也小，游起来不那么自如；湖大了，游起来似乎更轻松了。这或许只是阿健的感觉。进水里亲自游一游，跟在岸边站着想象完全是两码事。

游了一会儿后，阿健完全放松了下来。

开始的时候，每当向湖心游一段，他就得返回岸边，不然力气就不够了。经过几天的练习，他已经能游到湖心了，但他知道这还远远不够，在海上游还会遇到海浪，甚至可能会遇到鲨鱼的攻击，不像现在这样风平浪静。只有打下坚实的基础，拥有过硬的本领，自己才会强大起来。

这时，一条鱼向阿健游了过来，并跟着他一直往岸边游。阿健看了鱼儿一眼，微微一笑，心想不错，还有陪练。他没有理会这条鱼，继续往前游。

不一会儿，鱼儿又游到了阿健的前面，仿佛跟阿健有缘，又像在调戏阿健。阿健猛地伸出手，把鱼抓在了手里。他把鱼举起来，鱼张着嘴，两片鳃一上一下地鼓动着，一双眼睛瞪着阿健，好像在跟阿健说道：“我在跟你玩，你却把我逮出水面！”

阿健看了看鱼，然后又把它轻轻放入水里，一眨眼，鱼儿游走了。

人不管做啥事，只要有足够的耐力和自律，成功就会向他招手。

如今，阿健可以轻松地从此岸游到对岸了。他的身体被太阳和湖水浸泡，变成了古铜色。他也像浪里白条一样，可以在湖水里自由翻滚了。当所有的准备工作都做得差不多了，他心里盘算着，准备出发了。

回到家，阿健看着躺在床上的妈妈，心里暗暗发誓：我一定要治好妈妈的病，让妈妈重新站起来。

六、踏上了找人鱼的路

阿健把家里安顿好，将妈妈托付给妹妹，叮嘱妹妹好好照顾妈妈，然后便背着干粮上路了。

人鱼长什么样，阿健不知道；人鱼具体在哪，阿健也不知道，他只有老中医给他提供的一点信息。但是这一切都难不倒阿健，他想鼻子下面有嘴，只要勤打听，肯定能找得到。

遥远的路途折磨着阿健的身体，一个月来的连续赶路，他的脚底已经磨出了血泡，每走一步都钻心地疼。他找了根棍子当拐杖，继续艰难前行，他知道，自己每多走一步，离希望就更近一步，实在走不动了，就坐下来歇一会儿。

路边的小花开得十分艳丽，风吹过的时候，小花摇曳着美丽的身姿。阿健坐在石头上，享受着这片刻的安宁。

不远处的草地上有一只兔子，它一边吃着青草，一边抬起头向四周张望，那紧张的模样让人爱怜不已。

休息了一会儿，阿健又起身行路了。

河，一条河，准确地说是一条小河。河水很浅很清，河很宽，岸边的水草长得都不高，但是很茂盛。

阿健一看到水，便迫不及待地俯下身子，咕嘟咕嘟喝了起来。他已经有两天没有喝水了，这水喝起来是那么的香甜。

阿健一阵痛饮，直喝得半口都喝不下了，才心满意足地抬起头。他仔细望了望这条河，发现这跟老中医描述的其中一段很相像。他的目的地快到了，很快就能看到海了，但他一直弄不明白的是，河里的水为什么那么浅。

七、阿健看到了大海

大海到了，这是阿健第一次见到大海。

大海一望无际，一眼望不到边。海风吹拂，带着一股咸咸的味道。海面上停着大大小小的渔船，海滩上有捡贝壳的孩子。

一只海鸟冲进海里，眨眼间，一条鱼已经被它含在嘴里，鱼的尾巴还在拼命抖动，而海鸟已经飞上了天空。

阿健走到渔船边，恭敬地向渔民打听道："阿伯好，你们知道人鱼吗？知道它住在哪里吗？"

一个渔民在渔船里收拾着渔网，另一个渔民在回答阿健的话："知道，你要找人鱼干什么？"

阿健把自己和妈妈的遭遇说了一遍，渔民们都表示同情。其中一个渔民对他说道："人鱼在一个海岛上，好多人都想得到人鱼，但为此丧命的人也不少。船只能到一块礁石边，剩下的一段路需要游过去。这段路程风险重重，有毒蛇，有鲨鱼，还有大风刮过来的海浪。"

阿健听了渔民阿伯说的话，道："非常感谢大家！只要能治好妈妈的病，我什么都不怕。"他只求渔民阿伯能用船把他送到礁石上，渔民阿伯答应了他的请求。

渔民阿伯把阿健送到礁石的时候，还一直追问阿健："孩子，你决定了吗？这可是九死一生的旅途。"阿健点了点头，谢过好心阿伯的关怀，毅然决然地走下了船舱。阿伯的船划走了，礁石上只剩下阿健孤零零的一个人。

这条通向海岛的路两边布满了礁石，看上去就是一条通向海岛的航道，看不出有多么危险。航道上有一个巨大的风口，海风掀起的浪会重重地摔向两边的礁石，威力巨大，一般的小船会被摔成碎片。

阿健伸出手试了试风向，跳入了航道中。

八、在海里拼搏

阿健用尽全力游着，一块块礁石很快离他远去。

阿健是幸运的，今天的航道里没有风，没有滔天的大浪，但是阿健遇到了水蛇，好几条黄黑色带花纹的蛇向他游来，阿健心里不由得打了个冷颤，他不自觉地加快了向前游的速度。然而，忙乱中阿健的手脚失去了协调，一口海水呛入他的口中，他的头瞬间沉入了海中。

阿健明白一个道理，此时此刻绝对不能慌乱，而是应该镇静下来，不断给自己打气。以前的憋气训练真是救了他的命，很快，阿健又从水中钻了出来，他发现水蛇不见了，原来它们都只是路过。

其实，阿健不知道的是，水蛇虽然咬人，但毒性不大，只要你不主动攻击它，一般情况下它不会攻击你。

阿健调整了一下呼吸，又继续拼命地往前游。忽然，一头鲨鱼游了过来，像山一样移动着。在这条河道里，如果阿健不潜到水里，游过来的鲨鱼能轻松地把他挤碎。

阿健看着这庞然大物，知道考验自己的时候到了。他深吸一口气，潜到了海里。他静静地蹲在水里，看着这庞然大物从头顶游过。过了好一会儿，鲨鱼游走了，阿健把头伸出了海面，他长长地吸了一口气，感觉浑身好轻松。

他扭过头去，环顾四周，看到不远处终于有了岛的轮廓。

阿健的眼泪不由得流了下来，顺着脸颊滑到了嘴里，咸咸的。

几个月的辛苦没有白费，阿健抬起头看了看天空，又看了看前面的岛屿，心里想着终于到了。

虽然没有见到人鱼，但是他现在最起码离希望又近了一步，所以此刻他浑身都充满了使不完的劲。

经过一个多小时的努力，阿健终于游到了这个岛上。这个岛说大不大，说小不小，整个岛都是由礁石组成的，凹凸不平，还有好多自然形成的水塘和不规则的洞穴。

阿健正仔细地寻找着人鱼，忽然间他听到一阵阵婴儿的啼哭声。阿健非常纳闷，这里怎么会有婴儿呢？他循着声音的方向走了过去。

九、救下了被海盗劫持的人鱼

在一块礁石上，阿健看到一条鱼，它长着人的脸面，鱼的身子，还有和公鸡爪子一样的四只爪子。这便是人鱼，它的四只爪子被绳子捆着，边上的人拿出一个布袋，正准备把人鱼装进去。

人鱼看见阿健过来，高声叫道："快救救我，快救救我。"

阿健走过去，看到求救的鱼跟老中医说的一模一样，便大声对那个捕捉人鱼的人说道："快放了它，它跟人类是朋友，不然我跟你拼命。"

听到阿健的声音，那人扭过头来，一脸凶相，他手里

还拿着一把刀。看了看阿健，他不屑地说道：“快给老子滚，老子今天不想杀你。老子拼了命捉住它，就是为了换取金子。你要不识相，那就别怪老子无情。”原来这个人是个海盗，他用凶狠的话威胁着阿健。

阿健大声说道：“人鱼可以造福人类，我不允许你捕捉它。你放了它，咱们相安无事。你要带走它，那是绝对不可能的事。”

阿健的话刚刚说完，海盗就把人鱼扔到了地上，随后便挥舞着手中的刀砍向阿健。好在阿健年轻气盛，行动敏捷，力量也大，海盗虽拿着刀，但还是打不过阿健。几个回合下来，阿健把刀夺了过来，把海盗打得趴在地上求饶。

阿健解救了人鱼，人鱼非常感激他道：“你有什么要求，我一定会满足你的。”阿健便把妈妈和镇子上发生的事向人鱼说了一遍。

人鱼回应道：“谢谢你的救命之恩。请放心，我一定为你办到。”

缘分就是这么奇妙，阿健本来还苦恼怎么才能见到人鱼，又怎么才能求到紫贝，想不到就这么跟人鱼相识了。

在人鱼的带领下，阿健终于拿到了紫贝。

十、妈妈的病治好了

“妈妈，哥哥回来了！妈妈，哥哥回来了！”妹妹高兴地边跑边喊，一下子扑到了哥哥阿健的怀里，眼泪扑啦扑啦往下掉。

阿健揽着妹妹的头说道：“哥哥回来了，你应该高兴才对呀！为什么哭呢？

妹妹知道阿健在逗她，扭捏着说道：“我就是因为高兴才哭啊！”兄妹俩欢欢喜喜地走到屋里。

妈妈在床上躺着，听到兄妹俩的脚步声，也高兴得把头扭向门口看着。阿健三步并作两步，走到妈妈跟前，握着妈妈的手，告诉妈妈：“药引我拿回来了。妈妈，你很快就能站起来了。”

妈妈心疼地看着儿子说道：“孩子，你得受多大的罪啊！”

阿健对妈妈说道：“只要妈妈身体好起来，吃再多的苦我也不怕。”妈妈听着儿子的话，眼里不由得流下泪来。

阿健告诉妈妈这一路发生的事情，因为他救了人鱼，人鱼为了报答他，给了他足够的紫贝，不仅妈妈有救了，乡亲们也有救了。妈妈看着阿健，眼中写满了慈爱与欣慰。

第二天，阿健又上路了，他这次去是找老中医配药。阿健见到老中医后，老中医很是惊奇，不仅为他从人鱼手里拿到药引感动，更是被他为母亲的疾病不畏艰难寻找药引这种孝心感动。他决定亲自出诊，他让两个徒弟抬着他到阿建的镇子上帮大家治病。

老中医来到镇上后，先为大家调好了药，然后又挨家挨户登门去诊治。在老中医的辛勤治疗下，经过半个多月，躺在病床上的人们逐渐痊愈，很快都能下地活动了。

镇子里的人都纷纷来感谢阿健，阿健只是谦虚地回应道：“这是我应该做的。”

镇子又恢复了往日的生机，人们忙忙碌碌、热闹非凡。孩子们又重新回到了池塘，洗衣服的女人们又传出了嘻嘻哈哈的欢笑声。

浑不吝的李财

马腹　《山海经》之中山经

原文　又西二百里，曰蔓渠之山，其上多金玉，其下多竹箭。伊水出焉，而东流注于洛。有兽焉，其名曰马腹，其状如人而虎身，其音如婴儿，是食人。

译文　再往西二百里有座山，名为蔓渠山，山里有丰富的金属和玉石，山下遍布着很多小竹丛。伊水从这座山发源，然后向东流入洛水。山里有一种野兽，名字叫马腹，长着人的面孔、老虎的身体，叫声就像婴儿啼哭，会吃人。

一、三代单传的李财

李财的家境非常富裕，他的父亲是一位精明能干的商人，在整座古城里，有一半的店铺都是他们家的产业。

俗话说，财大气粗，李财就算是三辈子也花不完他爹给他挣下的钱。

城里的人见到李财的父亲时，几乎都会点头哈腰地打招呼，但李财的父亲并不是那种心黑的财主，他总是会礼貌地一一回应。

李财的父亲做任何事情都有板有眼，比较守规矩，处理事情也都合情合理，从不欺压别人。

然而，自从有了李财后，他爹的性格就变了。只要涉及李财的事情，他就什么原则也不讲了，有时候甚至还会耍点小无赖。

这是因为李财是他爹三代单传得来的子嗣，从小就备受溺爱。全家人都像守护星星一样守护着李财，生怕他磕着碰着。特别是李财的爷爷奶奶，更是把他惯得不成样子，他想怎样就怎样。有时候半夜睡醒了，李财想去院子里转一圈，也要让家里的用人抱着走一圈，不能有半点不同意。

由于长期被溺爱，李财养成了一种混不吝的性格，以为这全天下都是他的，他想干什么就干什么，他想捉弄谁就捉弄谁。

李财上街的时候，喜欢叫几个佣人跟着。别看他年龄不大，也就是个十五六岁的孩子，但是鬼主意特别多，捉弄起人来花样百出，让人防不胜防。

他把别人弄得尴尬、难受、喘粗气，自己却欢喜地在一旁哈哈大笑，拍巴掌，似乎没有什么比捉弄人更能让他开心的事了。

二、李财喜欢捉弄人

湛蓝的天空中，白云飘飘，街道上的行人来来往往，热闹非凡。李财在家中待得烦闷，便拿起小剪子出了门。他也不知道自己要去干什么，只是拿着剪子在手中来回比画着，琢磨着能做些什么。

李财正闲逛着，忽见前方有一个油坊，只见一个小孩一只手提着一个用绳子系着的油瓶，另一只手正在付钱。看到这一幕，李财嘿嘿一笑，有了主意。

他悄悄跑到孩子身后，只听得“哗啦”一声，绳子被剪断了，油瓶掉在地上摔碎了，瓶里的胡麻油流了一地，孩子哇地一声大哭起来，李财看到小孩无助的样子，觉得很有趣，一边说着“有意思有意思”，一边欢叫着拍起了手。路人敢怒不敢言，几个佣人还拍着手说：“剪得好，剪得好。”

李财看那孩子哭着回家了，觉得无趣，便扭头又去寻找新的目标。

李财走在街上，看到别人都躲着他，便以为人们都怕他，心中很是得意。

走着走着，他的肚子开始叫起来，不知不觉已经快到中午了。他来到一家酒楼，准备进去吃饭。

酒楼里人很多，非常嘈杂，李财要了一桌子菜，只吃了几口便觉得饱了，又琢磨起坏主意来，看看能做些什么有意思的事情。

隔壁桌有几个人正端着酒杯喝酒，其中一个人站起来向大家敬酒。李财悄悄走到这个人后边，把他坐的凳子挪到了一边。

喝酒的人谁也没有注意到凳子已经被李财挪走了，等那个人敬完酒往下坐的时候，一屁股坐到了地上，李财高兴得手舞足蹈。大伙儿刚想发火，一看是李财，便都不作声了。李财看到大家横眉冷对的样子，觉得很无趣，灰溜溜地回到了自己的位子上。

三、李财上学都惹人烦

李财是一个非常调皮捣蛋的人，他经常给周围的人起外号并以此取乐。

在私塾里，李财给同学们起了各种各样的外号，比如“猪头李”“小狗王”“蛤蟆张”“放屁刘”等。他还给教书的老先生起了个外号，叫“山羊胡”。

李财每次来到私塾，总是无所事事地坐在座位上，完全无心学习。他东瞅瞅西瞅瞅，左顾右盼，然后就开始给同学们起外号，这是他最喜欢做的事情之一。

他的行为不仅影响了学生们的学习，也影响了老先生的授课。然而，由于私塾是他家开的，大家只能无奈地忍受着他的行为。好在李财并不经常上学，一个月才来一两次。

私塾的院子里有一架秋千，有一次课间休息时，一个小孩正坐在秋千上慢悠悠地荡着，突然，他感觉到背后有人用力推了一下，秋千一下子荡得很高很高。原来是李财过来了，他觉得好玩，就用力推起了秋千。

坐在秋千上的孩子看到自己荡得越来越高，非常害怕。他苦苦哀求李财，希望能把他放下来。然而，李财听到孩子的哀求后，反而更加兴奋，推得越来越猛，他觉得这样太好玩了。

孩子的哭声让李财更加兴奋，他推得越来越快。好在其他同学及时请来了老先生，在老先生的苦苦劝说下，李财才停下手来。

李财看了看老先生，然后对着那个孩子说道："我在陪你玩，你有什么好怕的？你不感谢我，还叫先生来说我，真不够意思。"他自圆其说般说了几句，然后就走开了。

四、马腹用爪子把李财压住

在深山之中，有一位养蜂人，他养了许多箱蜜蜂。这些蜜蜂在森林中穿梭，采集着各种鲜花的蜜汁，这种忙碌的景象成了这片森林中的一道独特风景线。

养蜂人有一个朋友，名叫马腹。马腹长着人面虎身，通人性，喜欢吃蜂蜜，脾气暴躁，但它与养蜂人关系密切，

他们经常在一起消磨时光。

这天，李财心血来潮，想去山上游玩一番。他坐着轿子，由七个人侍候着，来到了山上。山上的空气清新宜人，李财沿着山坡漫步，欣赏着一路的美景。

走着走着，李财突然感到尿意袭来，便让四个抬轿子的佣人在原地等候，另外两个跟随他去尿尿。当他走到山坡边上时，正看到养蜂人和马腹在下方闲聊。李财脑子一转，想到了一个恶作剧的主意。

他往山坡边缘挪了挪身子，然后一泡尿从高处飞流直下，尿了养蜂人和马腹一脸。养蜂人还没来得及反应，马腹却噌地一下站了起来，迅速蹿了出去。

马腹非常生气，它觉得自己受到了侮辱。马腹决定要给李财一个教训，让他知道在太岁头上动土的后果。

李财终于遇上了对手，这正是恶人自有恶人磨。马腹迅速蹿上山坡，一把将李财按倒在地。两个佣人看到这一幕，试图上前营救李财，但马腹挥动爪子将他们也打下了山坡。

李财被吓得哇哇大哭，他的脑子里一片空白，从未如此恐惧过。他意识到自己的行为可能会带来严重的后果，但此刻才察觉已经太晚了。

五、砍柴老者进了山洞

在原地等候的轿夫看到李财被一个人面的老虎含在嘴

里向山坡上跑去，一个个吓得趴在地上不敢动。

马腹本是一个吃人的恶兽，但自打跟养蜂人相处以来，它的心性也慢慢起了变化，每天吃着甜甜的蜂蜜，已经少了吃人的欲望。

但是此刻它的愤怒无法消除，它叼含着李财跑到一个山洞顶上，把李财从高处扔了下去。

是死是活，只能让上天决定了，这就是对这个不知天高地厚的顽劣孩子戏弄马腹的惩罚。

李财摔晕了，当他忍着疼痛醒来的时候，发现洞里黑黑的，什么也看不见。他想摸索着走出去，但腿被摔断了，他只能大声呼救，可喊了两天也不见有人回应，李财绝望了。

如果再出不去，可能自己就要死在这洞里了。想到这里，李财挣扎着又喊了起来。

李财终于听到了回应，这声音此刻在他听来是那么地动听。

洞内走进来一位老者，他手里拿着火镰，靠着微弱的光线，他看见了躺在地上呻吟的李财。

老者今天是来山上砍柴的，听到呼救声便循着声音过来了，他背起地上躺着的李财，出了山洞。

李财已经快三天没有吃饭了，他第一次感觉到死的可怕，感觉到饥饿的可怕，感觉到嗓子干到冒烟的那种难耐。

老者给他弄来了山泉水，他不顾一切咕嘟咕嘟地喝了起来，他觉得这是他长这么大以来喝到的最好喝的琼浆玉液，他以前从未觉得水有这么好喝。

老者从他身上掏出了半个窝头，李财一把夺过，疯狂地嚼起来，现在哪怕有鲍鱼燕窝，李财都不会换的，他此刻只觉得这窝头是世上最好吃的东西。

李财长这么大，从来没有人给他吃过窝头，他不知道的是，这窝头只有下人吃，要是平时给他吃，他会把桌子掀翻的。

这件事情让李财深刻地认识到，戏弄别人是不对的，他也为此付出了惨痛的代价。而马腹则以自己的方式让李财明白了尊重他人的重要性。

六、李财在山洞里

老者看李财恢复了一点元气，便准备背他下山。

路上，老者询问事情的来龙去脉，刚开始李财支支吾吾不想说，但经不住老者一再追问，毕竟李财是个孩子，便一股脑儿全说了出来。

老者听了李财的话，真是又气又恨又怜，气的是他把捉弄人当成了爱好，不知悔改还洋洋得意，怜的是他这么小却受了这么多的罪。

老者问李财道：“你以后还会这样捉弄人吗？”李财在老者背上摇头说道：“不会了，再也不会了。”

老者叹息一声道："孩子你就是命好，生在一个有钱的人家，但人与人之间应该互相尊重，不能随意欺负、捉弄别人，否则你的一言一行会受到老天爷的惩罚的。"

李财哭着对老者说道："我以前觉得我做什么事都是对的，只要我开心就行，也从来没有人劝过我，也没有人打过我。我想吃什么就吃什么，我想做什么事就做什么事，觉得一切都是理所应当的。这几天我在山洞里，一个人又冷又饿，又孤独又害怕，才知道不是什么都可以做的，才知道自己做了错事也会受到惩罚的。爷爷，我以后会改。"李财诚恳地说道。

这要放在平时，从李财的嘴里是绝对听不到这么礼貌的话的。

几天前，轿夫们看到李财被马腹叼走后，吓得赶紧向李家大院奔去。

李财爹刚好在家，全家人听了轿夫们的描述，立即乱成了一锅粥，奶奶呼天抢地的，声称找不到孙子她也不活了。

爷爷叫吼着要众人赶快去找人，李财的妈妈则坐在凳子上号啕大哭。

李财爹组织了一支二十多人的队伍，拿着猎枪、弓箭、砍刀，向山上出发了。

可是，偌大的山林，他们也不知道李财在哪里，只能四处搜索。两天过去了，他们没有看到李财的一点影子，李财爹都快绝望了，灰心丧气，脸上面如死灰。

七、砍柴老者来到李府

又过了一个难熬的夜晚，第三天清晨，李财爹醒来，他觉得要继续寻找，反正活要见人，死要见尸，不找到李财决不下山。

“老爷，你看那边。”一个佣人一边喊着，一边指向西南方向。

绝望的李财爹看到了李财，他趴在一个老者的背上，老者正往山下走。

但他们之间距离很远，老者和李财在另一个山头。现在什么也顾不上了，李财爹招呼大伙儿，所有人都向那个山头奔去。

李财看到爹出现在眼前，叫了一声“爹”，委屈得大声哭了起来。

李财爹对着老者千恩万谢，把李财从老者背上扶了下来，让下边的人把李财背了回去。

老者要辞别众人上山去打柴，李财爹说什么也不让，拉着他一路奔向李府。

高耸的门楼，挑高的飞檐，青砖灰瓦，尽显院子的雍容华贵。老者这才知道，这是古城里最有名的李财主府邸。

在客厅里，宾主落座，李财的爷爷奶奶、叔叔婶婶，一应亲人都过来拜见老者，感谢他的救命之恩。

李财爹跟老者聊了李财出事的原因，他说道：“李财是家中三代单传的儿子，家里人都对他十分娇惯，导致他常做此出格的行为而不自知。以后再不会纵容他，要让他学会礼貌待人，不再胡来。”

听完李财爹的话，老者说道：“有句话我不知道当讲不当讲。”

李财爹道：“您有什么话，请但说无妨。”

老者道：“常言讲，惯子如杀子，你们这样惯李财，并不是爱他，而是害他，会把他的一生都毁了。”

李财爹道：“是的，是的。老人家，您说得对。忠言逆耳，这话要搁在以前，我是一句都听不进去的，现在我得好好感谢您，感谢您不仅救了我儿子，还救了我们全家。经过这件事，我也知道以后该怎么做了。”

李财爹重谢了老者，当然，这都是后话了。

八、李财彻底变了

腿伤好了以后，李财好像变了一个人，再也不是以前那个刁钻、蛮横、无理的李财了。

他开始天天去学校上学了，见到同学也不再叫人家外号了，凡是给起过外号的，他都一一向他们道歉了。

同学们现在也喜欢跟李财一块儿玩了。老先生看着李财的进步，也非常高兴，知错能改善莫大焉，何况李财还是个孩子，他以后的路还很长。

李财的改变还不止这些，以前他在街上捉弄过的人，毁坏过的财产，他都一一道歉并进行了赔偿。

看到有困难和需要帮助的人，李财都善意地回应。

李财变了，李财变了，这已经成为古城最大的新闻，茶余饭后，大家都在聊李财的事。

一辆装满柴禾的车正在上坡，拉车人吃力地一步一步往上拉，脸上的汗珠不停地掉落在地上。

忽然，他感觉到车子一下子轻松了起来，不一会儿就爬上了那个坡。

他停住车子，向后一看，推车的是李财，这要在过去，是不可想象的。

拉车人对李财说道："谢谢你。"李财微笑着回应道："没事，也就是顺手的事。"

李财现在明显能感觉到，只要你对人好，别人也会对你好，善意的回应带来的是内心的快乐，他这才发现原来的自己是多么的无知。

一个六七岁的小男孩独自站在熙来攘往的街道上，左顾右盼，泪水在他的眼眶中打转。李财放学回家路过，看到了这个让人心疼的场景。

他走到小男孩身边，关切地问道："小朋友，你为什么哭啊？"小男孩抽泣着回答："哥哥，我走丢了。我爹爹让我在门口等他，他进去办事。我等得无聊，看到有一

个人牵着一匹马走过，那马儿特别棒，我就悄悄地跟在马的后边，想多看看马儿，不知不觉就走到这儿了。现在我想找爹爹，却找不着了。”

李财安慰道：“你别哭了，把眼泪擦掉，哥哥带你去找你爹爹。”小男孩听了，脸上顿时露出了笑容，忙紧紧拉着李财的手。

他们走过几条街道，终于看到了急得满头大汗的小男孩的爹爹，小男孩立刻冲了过去。李财把孩子交到了他爹手中，男人连声感谢。

李财看着小男孩和爹爹重逢，感到无比欣慰。他知道，自己做了一件正确的事情，帮助了一个需要帮助的孩子。

九、李财和养蜂人成了朋友

奶奶的喉咙最近有点痒，需要用蜂蜜调理。

李财知道后，跟爹爹说道：“我知道哪儿有新鲜蜂蜜，我要亲自去给奶奶买回来。”李财爹看到李财这么孝顺，就答应了。

天气晴朗，轻柔的风吹在人的脸上，凉酥酥的，特别舒服。

李财和他的小伙伴们手拉着手，走在山路上。

路边的一棵高大杨树上站着两只喜鹊，叽叽喳喳地来回摇摆着身子。杨树的叶子绿绿的，没有一点尘土，可能是前几天下雨的缘故。

河里的水多了起来，水声淙淙，悦耳动听，偶尔还能听到一声青蛙的鸣叫，在这寂静的山里显得格外响亮。

小孩子们走在山里，满心都是新奇与兴奋，步行山路带来的累，没有让他们感到疲倦，这可能就是孩子的天性吧。

“看那里的蜜蜂，那么多。”一个孩子说道。他们拐过一个弯又一个弯，到了一个相对平坦的坡地，那里开满了鲜花，有红的、紫的、蓝的、粉的，五颜六色，尽态极妍。

每朵花上都爬着一只蜜蜂，整片花草地仿佛变成了巨大的蜂箱。

又转过一个弯，他们看到了养蜂人和一只可怕的人面老虎。

大家都吓了一跳，赶快躲了起来，养蜂人这时已经看到了孩子们，他安抚大家道：“别怕，它不咬人，它跟我是朋友，你们过来吧。”

李财探出身子，看了看养蜂人，又看了看人面老虎。李财早已没有了以前的戾气，听了养蜂人的话，他也壮着胆子跟小伙伴们走了过去。

李财走到养蜂人面前，诚恳地向养蜂人和人面老虎道歉，他说自己以前不懂事，做了不该做的事，他感到十分抱歉。

养蜂人安慰道：“每个人都会犯错，知错能改就还有救。”他原谅了李财的过去，还跟李财握了握手，并拥抱了他。

养蜂人又让李财抱了抱人面老虎，李财明显能感觉到人面老虎的善意，它用爪子温柔地拍了拍李财的后背。

小伙伴们都一一跟人面老虎拥抱了，他们跟人面老虎变成了朋友。

养蜂人把最好的蜂蜜拿了出来，卖给了李财，李财和小伙伴们拿着蜂蜜，高高兴兴地回家了。

争斗的雷神和祝融

雷　神　《山海经》之海内东经

原　文　雷泽中有雷神，龙身而人头，鼓其腹。在吴西。

译　文　雷泽在吴地的西边，雷泽中住着一位雷神，长着龙的身体人的头，他只要一拍打肚子就会发出打雷声。

祝　融　《山海经》之海外南经

原　文　南方祝融，兽身人面，乘两龙。

译　文　南方神祝融，长着野兽的身体和人的面孔，驾驭着两条龙。

一、东坡上住着雷神

紧挨着昆仑山的东边，赫然耸立着一座峻峭挺拔的大山，叫紫霞山。山的东面住着雷神；山的西面住着祝融；山的北面长年风和日暖，长满了奇花异草，是个游玩的好地方；山的南面长年冰雪满天，是天帝关押犯人的地方。

雷神是个感情丰富的人，他长着人的脑袋、龙的身子。他住的宫殿是爷爷的爷爷盖的，从他记事起，他就在宫殿里生活了。宫殿四面全是山，山上长满了郁郁葱葱的松柏树。雷神的兄弟姐妹们被天帝分配到五湖四海的领地去当值了，紫霞山东面这座宫殿里，只住着雷神一个人。

雷神最怕的是晚上，刮风的时候，树林会发出呜呜的声音，这时候，寂寞的雷神总忍不住想念远方的亲人，然而他有自己的职责，不能随便离开自己的领地。

睡觉的时候，他尽量闭着眼睛深呼吸，以调整自己的情绪，心里想着一些美好的事情，善良的瞌睡虫轻轻抚摸着他，睡意袭来，香甜的梦就此展开，日子也就这样一天天过来了。

地上爬着一只蚂蚁，他会盯着看一上午。他用树枝蘸一点蜂蜜，放在蚂蚁经过的路上，只见这只蚂蚁闻闻就跑开了，不一会儿的工夫，这只蚂蚁后面跟着一串蚂蚁，排着队到树枝上吮吸蜂蜜。

他看着看着就会笑起来，那是发自内心的欢喜。人高兴的时候就会忘却烦恼，雷神也一样。他还有个习惯，高兴的时候就喜欢摸自己的肚皮，轻轻地抚摸，此时天空就会下起温柔的小雨。要是生气的时候，他就会狠拍自己的肚子，此时天空就会响起轰隆隆的雷声，闷雷在天空的四个角炸响，随后瓢泼大雨就会倾盆而至。

二、住在西坡的祝融

祝融住在山的西面，他的住所是一处岩洞。岩洞非常宽敞，比村民的打谷场还要大上十倍。

岩洞里摆放着石桌子、石凳子、石椅子和石床，甚至连碗筷都是石头雕刻而成的。

祝融喜欢火，已经到了痴迷的程度。没事的时候，他就会从嘴里喷吐火焰玩耍。

据说有一次他睡觉打呼噜，鼻子里喷出的都是火焰。人们问他是怎么回事，他说梦见自己给村民耍杂技，不知不觉中火焰就从鼻孔里喷出来了。

祝融出行时常常骑着两条龙，他长着人的面孔和野兽的身子。龙跑起来像一阵风，它们没事的时候就在他的领地上四处溜达。

雷神和祝融算是邻居，他俩都是好人，可正所谓水火不相容，他们基本上不往来，仿佛有仇似的。

记得有一次，祝融路过雷神的领地，正好碰上雷神不高兴，在狠狠拍自己的肚皮，祝融刚刚吐出的火也被雷神的大雨浇灭了。祝融跟雷神理论，可当时雷神不知道因为什么事正在生气，对祝融说的话置之不理，还嫌祝融多事，对祝融说道：“你管天管地，还能管我拍肚皮玩？”气得祝融吐出万丈高的火焰。

好在祝融能想得开，他心想，既然是在人家的领地，不管啥事都得忍着点，毕竟雷神也没有请自己来，是自己路过。可即便祝融再宽厚，后来的一件事还是把他惹恼了。

三、村口的钟声响起

山的北面住着许多村民，祝融常常会过去与他们聊天。

祝融还会帮助村民们做一些力所能及的事情，这与他豪爽仗义的性格和喜欢骑龙到处转悠的爱好有关。

村民们非常喜欢祝融，经常热情地邀请他喝酒吃肉。中午，每当村民们做饭时，祝融就会在一旁看着，有时还会帮忙添柴加薪。

村口的那棵老槐树上悬挂着一口古老的大钟，每当村长需要召集大家时，就会敲响这口大钟。村民们听到钟声后，就会派出一个代表前往槐树下集合。

钟声的节奏不同，所传达的消息也不同。

如果钟声缓慢而有节奏地一下一下响起，那就意味着这只是一次普通的召集，大家需要前往槐树下集合。

如果钟声是“铛，铛铛”地响起，那就表示村里有重要的客人来访，各家各户就会拿着自家的东西前往打谷场。男人们负责杀猪宰羊，女人们则负责烧火做饭，共同为贵客准备丰盛的宴席。

然而，如果是“铛铛铛”的钟声，且一声比一声紧，那就意味着村里有大事发生，所有村民都必须立即赶到老槐树下，听从村长的指示和安排。

此刻，大钟突然发出了“铛铛铛”的声音，一阵比一阵急促，村民大刘一听，知道有要事，便对坐在板凳上的祝融说道：“大哥，你先坐着，我去去就来。听这钟声，村里肯定有大事发生，我得赶紧去看看是怎么回事。”

祝融听完大刘的话，沉思片刻后说道：“大刘，不要着急，我跟你一块儿过去看看，不管发生什么事，我们都共同应对。”

“好吧，有大哥在，我就更加放心了。”大刘回应道。说完两人起身，一同向村口走去。

四、村民得病去世

大槐树下已经聚集了不少人，有五个村民躺在担架上，他们面色苍白，痛苦地呻吟着。

村长一边指挥着大家，一边清点人数。看到大家都过来了，他站到石头垒的台上开始讲话。

今年这个季节格外潮湿，各家各户做饭的柴火都因为潮湿不能燃尽，导致许多人吃的都是夹生饭。

长期吃夹生饭，人的肚子里就会长一种黑色的虫子，这种虫子专门咬人的肠子。对这种病，村里的人都无计可施，现在只能由大家抬着病人去镇子上找郎中。

祝融也在人群中，听完村长的话，他对村长说："这种事我可以帮忙，让五个村民一人抱一个病人，爬到龙的身子上，我带大家去镇子上找郎中。"

大家听到祝融说的话，纷纷向他作揖，表示感谢。祝融也举起双手给大家回礼，在大家的注视中，他腾云而起，带着病人向镇子上飞去。

也就一阵风的时间，祝融就将几名病人带到了镇上。过了十来天，祝融又来到村里，他的心里十分挂记村民的病情。

见到村长，他赶忙询问村民的病情。只见村长面露悲色，说了一声："都死了。"祝融听后震惊不已，为自己无能为力而感到十分懊恼。

想到村民因为长期吃夹生饭而生病去世，自己又自称是火神，却不能帮助大家，祝融感到深深的自责，他决心要找到解决问题的办法。

他紧紧握住村长的手，告诉村长，如果找不到解决办法，他誓不罢休。

五、祝融找到了叫炭的石头

世上无难事，只怕有心人。这句话在祝融身上得到了生动的体现。祝融在闲暇之余，到处寻访能帮助村民烧火的材料。

在一座高山上，他偶遇了一位道士。这位道士喜欢钻研地理和博物学，他告诉祝融，在离这五千里的地方，有一座神秘的山，它的地底下埋藏着一种名为黑石的神奇物质，这种石头不仅能够燃烧，而且火焰持久且温度极高。

祝融听后如获至宝，欣喜之情难以言喻，他深感自己的一番苦心终于有了回报。

祝融夜以继日、风雨兼程，到达了那座遥远的山，他采集到了数千斤可以燃烧的黑石。苦和累对祝融来说不算什么，他高兴的是自己终于能帮村民做点事情了。

一切都在悄悄地进行，为了不影响村民们的日常生活，他选择在夜晚将这些沉重的黑石运回村庄附近一个隐蔽的山洞中。

经过一个月的默默付出，山洞里已经堆满了黑石。

在一个宁静的夜晚，祝融站在洞口，施展他的神力，口中喷吐出炽热的火焰，点燃了那些黑色的石块。

看着熊熊燃烧的大火，祝融疲惫的脸上露出了欣慰的笑容，他知道，这一切的努力都值得。

天亮的时候，祝融来到了村长家，把这个好消息告诉给了村长，村长听后高兴坏了，连忙拉着祝融往村口的大槐树下走。

急促的钟声在村落上空回荡，村民们纷纷从家中走出，聚集在大槐树下。

大家本以为出了什么大事，过来后看到的却是满脸堆笑的村长和祝融。

待众人安静下来，村长激动地宣布，今后大家生火做饭再不用发愁了，祝融为大家找到了新的燃料。话音未落，人群中爆发出一阵欢呼，有的村民甚至高兴得跳了起来。

在村长的带领下，村民们跟随祝融来到了隐蔽在不远处的山洞，亲眼见到了黑色石块燃烧起来的热烈火光。

六、大伙在打谷场上庆祝

山洞距离村庄大约一里地，祝融让大家准备好铁桶和铁锹，随后他们有说有笑地来到了洞口。

洞里的石块摆放得整整齐齐，一眼望不到尽头。靠右的位置还留出了一米宽的通道，供人通行，石块的上层全都燃着火焰，望上去就像一条火龙，散发出来的热量把大家的脸都烤得暖烘烘的。

祝融让村长指挥大家排成一排，把着火的石块装进桶里，拿回家里做饭。

就在这时，人群中不知是谁高喊了一声："咱们今天就聚餐吧，看看这石块好不好用，同时也请咱们的大英雄共饮美酒！"此话一出，立刻引起了众人的热烈响应。

村长听见大伙儿的呼声，也迅速附和起来，略带歉意又满怀欣喜地说道："好啊，好啊！我光顾着高兴了，还没来得及通知大家宴请英雄，这是我的不是。现在我宣布，凡是提了铁桶的村民，现在全往打谷场去。男人杀猪宰羊，女人烧火做饭。”大家高兴得嗷嗷叫起来。

夜幕降临，打谷场上灯火通明，一排排方桌摆放得整整齐齐，桌上摆满了各种美味佳肴。一碗碗美酒已经斟满，晶莹清亮，散发着醉人的醇香。

村长举起了手中的酒碗，村民们纷纷举杯，共同向他们心中的英雄祝融敬酒，感谢他给村庄带来的改变和希望。

炉膛里炽热的炭火红彤彤地燃烧着，映照在每一张笑逐颜开的脸上，他们的快乐与满足，如同炉火般炽烈而持久。

祝融虽然被村民们的热情弄得有点不好意思，但他心里的快乐却漫遍了全身。原来，帮助别人是一件非常开心的事，不仅被帮助的人能感觉到温暖，帮助别人的人也会感受到快乐。

七、雷神和祝融在路上相遇

雷神尽职尽责地守护着自己的领地。今天早晨起床后，他感到有点烦闷，所以决定去北坡看看花草，舒缓一下自己的愁闷心绪。

北坡的阳光很足，花卉长得十分鲜艳，阳光如金线般穿梭在绿叶花丛间，给每一片花瓣都镀上了一层温暖的光泽。

山坡上的花卉种类繁多，有优雅浓郁的风信子，气质高贵的郁金香，含情脉脉的紫罗兰，轻盈娇媚的水仙，火焰般燃烧的千日红等草本花卉。

还有傲骨铮铮的梅花，粉嫩婉约的桃花，艳若红霞的杜鹃花，含羞带笑的含笑花，风姿绰约的紫荆花等木本花卉。

雷神坐在山坡上，望着眼前这些争奇斗艳的花草，心情好了不少。他站起身来，拍了拍屁股，又准备去村里转转。

刚到村口，雷神便看到了祝融的身影，此刻祝融也正朝村庄走来。不知为何，只要一看到祝融，雷神的心情一下子就变得糟糕起来。他俩好像天生的世仇，彼此看不顺眼。

雷神加快了步伐，他不想跟祝融走在一起，不料却被一群热情的村民拦住了去路。

“雷神大哥，多亏了你，去年的庄稼没遭遇干旱，我们获得了好收成！”

“雷神大哥，小雨飘起来的时候，凉丝丝的，坐在亭子里喝茶，别有一番风味！”

大家七嘴八舌地说着充满尊敬的话语，雷神心里十分受用。

这时，不知谁喊了一声：“祝融大哥过来了！”大家听到后，呼啦啦一下子就跑过去迎接祝融了。

本来这也没什么，但雷神却感到特别别扭。其实在村民的心里，他俩都是好人，都是他们的英雄。但现在两位英雄之间却发生了争斗，这让雷神感到很郁闷。

八、雷神的愤怒使村民遭殃

雷神威猛的身躯矗立在祝融面前，嘴角上挂着一丝嘲讽的笑容，他不耐烦地朝祝融挥了挥手，道："你挡在我前面干吗？好狗不挡道！"

听到这话，祝融心中顿时燃起一股无名怒火，他瞪着火一般的眼睛望向雷神，语气中满是不可置信与愤怒，道："你说谁呢？说谁是狗？我祝融作为火神，守护这片土地，何时成了你口中的犬类？"

面对祝融的质问，雷神非但没有退让，反而愈发嚣张，挑衅之意不言自明，他怒道："我说的就是你，怎么的？别以为自己掌控烈焰就了不起，今天我就要和你一较高下！"

周围的村民看到两位神祇即将爆发冲突，纷纷上前劝阻。

他们深知雷神与祝融的力量，形势一旦失控，将会给村子带来毁灭性的灾难。可是，无论村民们如何苦口婆心，雷神与祝融都听不进去，双方怒气冲天，定要一决雌雄。

雷神紧握拳头，深吸一口气，尽量压制自己的怒火，提议道："有本事咱们好好打一架，离开这里，别伤及无辜村民。"

雷神的言语间虽仍流露着些许傲慢，却也透露出对村民安全的顾虑。

祝融闻言，眉头紧皱，胸中的怒火瞬间化为决心，他一边迈步向前，一边咬牙切齿地回应道：“好，就到村民看不到的地方去解决我们的恩怨！”

在远离村庄五里的荒野之地，雷神和祝融你来我往，拳脚相向。祝融面红耳赤，双目如炬，愤怒如同熊熊烈火在他体内翻涌，炽烈无比的火焰从他嘴里喷射而出，宛如一条狂暴的火龙直扑雷神。

面对猛烈的火攻，雷神并未退缩，他那在火焰中左右腾挪的身影，犹如疾风中的劲草，灵活地躲避着每一团致命的火舌。忽然，他在空中翻了一个跟头，借力跃起，然后猛拍自己宽厚的肚皮，瞬间一股强大的力量，从他体内爆发出来，豆大的雨滴，凝聚成倾盆大雨，从天而降，直扑地面，他试图以水克火，遏制祝融的攻势。

一个用水浇，一个用火烧，两人的争斗越发激烈，冲动引发的愤怒就像一剂毒药，不断伤害着善良的村民。土地上的积水逐渐上涨，快速蔓延至附近的山洞，水把洞里的炭火熄灭了，村民们失去了做饭的燃料。

雷神和祝融厮杀半天，不分胜负，两人打累了，便各自回了自己的领地。倒霉的只有村民，可雷神和祝融对此一无所知。

地上的积水有一米深，好多房屋被淹，只有建在山坡上的房屋得以幸免。村长安排大家把老人和小孩都往山坡上转移，可这水也不知道什么时候才能退去，大家的吃喝

都成了问题。

村民大刘建议村长找五六个小伙子结伴去找雷神，看他能不能帮帮大家，毕竟都是因为他，大家才无辜遭殃的。

村长也想不出更好的办法了，只能同意大家去找雷神试一试。

九、雷神为自己的行为感到羞愧

雷神在大殿的石阶上坐着，阳光穿过云层间隙洒在他的身上，将他魁梧的身影拉得长长的。他手中摆弄着一根从院中拾来的小木棍，仿佛陷入沉思，又似乎在寻找某种乐趣。

突然，雷神抬起头，目光落在了远处的村民队伍上。村民们艰难地行走在山路上，他们的脸上写满了期待与紧张。雷神见状，立刻起身，高大的背影瞬间消失在了大殿门口，雷神快步跑下台阶去迎接村民们。

“雷神大哥好！”村民们看到雷神如此亲和，纷纷放下手中的物品，恭敬地抱拳施礼打招呼。雷神笑容可掬，热情洋溢地回应道：“乡亲们不必客气，都快进殿里歇歇脚吧，你们能亲自过来，我真是既惊喜又感动啊！”

然而，村民们并未立即进入大殿，气氛略微有点尴尬。其中一位村民看着雷神，动了动嘴唇欲言又止。雷神机敏地捕捉到了这一微妙的变化，他心头一紧，知道必有事情发生，于是关切地问道：“你们是不是有什么事需要我帮忙？请尽管说，不用客气。”

这时，一个胆子稍大的村民鼓足勇气开口道：“雷神大哥，是这样的，前几天您和祝融大哥争斗时，您所唤来的雨水虽然壮观，但也淹没了我们的家园，不少房屋都被水淹了，现在大家的生活十分困难。村长让我们来找您，看看您能否帮我们想想办法，解决这个问题。”

听闻此言，雷神脸色一变，心中泛起一阵深深的愧疚。

他懊悔自己一时冲动，给村民们带来了无妄之灾，他羞愧得连连道歉：“各位，实在抱歉。我确实没想到这场打斗会给大家带来这么大的麻烦，这真是神仙打架，百姓遭殃。在此我深表歉意，请大家放心，我现在就随你们回村，无论如何都会想尽办法弥补这次过失。”

雷神站在村口，看着村民们因洪水肆虐而满目疮痍的家园，以及村民们无助的眼神，他的内心充满了懊悔与自责。

雷神深知，自己作为一位受人敬仰的神祇，本应尽力保护村民的利益，而非给他们带来灾难。尽管村民们都念着他的好，谁都没有责怪他，但这反而让他心里更加难受了。

在村长的带领下，村民们有序地转移到了山坡上。

雷神利用自己的神力，将积水之地的水吸入腹中，然后又返回自己的领地，开辟了地下水道，将水排至远处的湖泊之中。

经过一个上午的努力，村庄的积水终于退去，露出了一片狼藉的土地。

十、雷神和祝融成了好朋友

中午时分，村民们正准备做午饭，却发现山洞里的火也被水熄灭了。大家把情况告诉了村长，村长也一筹莫展，不知道如何是好。

这时雷神站出来对大家说道：“这是我的失误造成的后果，我必须承担起责任。现在我就去找祝融兄弟，请他帮忙重新点燃山洞里的炭火。”

尽管雷神心中有些忐忑，但他明白此刻不是犹豫的时候，他必须要为自己的行为负责，并尽力挽回损失。

祝融刚从外面游玩回来，就听到雷神在门口喊：“祝融兄弟在吗？”雷神的声音中竟然透露出罕见的谦逊和恳求。

这一变化让祝融颇感意外。这是什么情况？昨天还看他不顺眼，与他大打出手，现在竟然主动上门套近乎？

“我在呢，有事吗？”祝融抱着双臂，从洞府内走出，眼神中流露出一丝警觉与疑惑。

只见雷神大步流星地走到祝融面前，微微低头，坦率而真诚地说道：“兄弟，我错了。是我太小心眼，老想着水火不相容。现在村民们因为我俩的打斗受了灾，不但土地、房屋被淹了，连洞里的炭火也无法点燃了，他们需要你的帮助。我想放下过去的偏见，向你道歉。祝融兄弟，我能请求一个拥抱吗？这既是我对过去错误行为的一种弥补，也是我们之间冰释前嫌的第一步。”

听到这番肺腑之言，祝融心中的怨气瞬间消散了许多，他感受到了雷神的诚意和改变的决心。于是，他爽快地点点头，用力抱住了雷神。

雷神和祝融走上山坡，最高兴的是村长和村民们，他们看到两位英雄和好了，内心无比快乐，他们知道，两位英雄再也不打架了。

祝融来到山洞，施展神力让熊熊烈火再次燃烧起来。村民们的脸上再次绽放出久违的笑容，他们又陆续从山洞中取出了宝贵的炭火。

祝融回到村子也并未停歇，他用炽热的火把潮湿的空气和地面彻底烘干了，虽然累得满头大汗，但他却开心极了。

最高兴的是村民们，大家的生活又恢复了正常。村口的古老铜钟又响起了熟悉的铛铛声，大伙儿欢天喜地地奔向了打谷场。

男人们忙着杀猪宰羊，女人们围炉烧火，准备丰盛的晚餐。炊烟袅袅，饭菜的香气弥漫着整个村庄。

雷神站在人群中，真诚地向大家许下诺言：“我发誓，以后绝不再因一时冲动做错事，给大伙儿带来困扰。干旱时，我会及时降雨滋润庄稼，平时则降些蒙蒙细雨，为你们的生活增添情趣。”

紧接着，祝融也郑重承诺道：“从今往后，山洞中的炭火将永不熄灭，我将以自己的力量，保障你们的子子孙孙都能享受到炭火，给大家带来的温暖和便利。”

两位神祇的话赢得了村民们经久不息的热烈掌声，他们纷纷举杯庆贺，共同分享这份和谐与喜悦。此时此刻，整个村庄宛如一个大家庭，和睦温馨，其乐融融。

正如老村长对村民们的教诲所言：“真正有作为的人，不会沉溺于过去的不愉快，而是勇于承认错误、承担过失。这样的态度不仅能迅速化解矛盾，使敌人变为朋友，更能凝聚人心，为今后的发展打下坚实的基础。”

自那以后，雷神与祝融不仅成了村民心中的守护神，他俩更成了彼此最要好的朋友，他们的友谊成为一段佳话，在这个小村庄代代流传。

勾魂的游戏

长 右　《山海经》之南山经

原 文　东南四百五十里，曰长右之山，无草木，多水。有兽焉，其状如禺而四耳，其名长右，其音如吟，见则其郡县大水。

译 文　从柜山往东南走四百五十里，有座山名为长右山，山上没有花草树木，但是水源却很丰富。山中有一种野兽，外形像猕猴，长着四只耳朵，它的名字叫长右，它的叫声如同人在呻吟。任何郡县一旦出现长右，肯定会发生大水灾。

一、山上出现了机器人

光秃秃的山，一座连着一座，山上的石头像被人随处丢弃的布娃娃，荒凉得让人心疼，方圆肉眼能望到的地方，没有一棵树，也很少有野草长出来。

偶尔的一抹绿都会让人感到兴奋，山体与山体相挤而成的小溪，不规则地在山坳里蜿蜒前行，只有这流水声能让人感到生命的存在。

不远处的一块巨石下面，躺着一只像猕猴一样的动物，它的名字叫长右。

长右的脑袋上长着四只耳朵，当它愤怒的时候，会脸朝天空大吼，它的吼声听起来像人的呻吟声，仿佛那声音就在附近打转。即使它很愤怒，但村民见了也不会害怕，它的神情让人觉得滑稽可笑，它对人们根本不构成威胁。这气得长右这时候只能拼命喝小溪里的水，有时候甚至会把小溪里的水都喝干才肯罢休。

村民上山的时候，有时会见到长右，而长右却走不出自己的领地，它的愿望是去村民家里做客，去村民说的绿树成荫、鲜花盛开的地方。

长右的儿子名叫小长长，非常调皮，没事的时候，它会把一个水塘里的水喝干，再跑上三里地把水吐出来，做出一个新水塘。并不是它喜欢这样做，而是它实在太无聊了。

一个圆滚滚的不明物体稳稳地落在一个石头堆上，正在附近玩耍的小长长立刻被吸引了过去，满心好奇地围着这神秘的物体转圈圈。它瞪大眼睛，满脸疑惑。这是什么东西？它从来没有见过。

伴随着一阵机械运转的声音，一个迷你机器人从小巧的圆形外壳中走出来，它的手中握着一个巴掌大小的物体，上面镶嵌着一块玻璃屏幕，并配备了一个开关按钮。

轻轻一按按钮，音乐悠然响起，手指触摸到屏幕上，各种画面跃然呈现，充满了趣味。

机器人注意到了好奇的小长长，便用一束光照射在它的脑袋上。

光线照射过后，小长长惊奇地发现自己的脑海中瞬间展现出了游戏平板内所有的程序内容，就好像这些程序原本就是它身体的一部分一样，小长长从此对这块游戏平板爱不释手。

原来，这个高科技机器人运用脑波对接技术，将游戏平板内的所有程序信息同步到了小长长的脑波中。

自此以后，只要开机，小长长的大脑就能自动对接并操控平板内的各种画面与功能。

小长长再也按捺不住内心的激动与渴望，突然一把将游戏平板从机器人手中抢了过来，随后立即朝着远处的巨石狂奔，生怕机器人将游戏平板夺回去。

令人费解的是，机器人看着小长长的背影，只是诡异地笑了笑，随后便回到了它的圆形屋子里，仿佛一切都在它的预料之中。

二、小长长有了游戏平板

天亮了，天气特别好，风和日暖，微风拂面。虽然周围没有大片的花草树木，甚至连一棵树都没有，但温暖的太阳光让长右和它的孩子感到非常舒适。

大多数的时候，这里都是阴雨绵绵的。长右既不吃粮食也不吃瓜果，溪水就是它一年四季的食物，下雨天则是长右喝水补充能量的好时机。

长右和小长长住在一个山洞里。天气好的时候，长右会带着小长长进行长时间的爬山训练。只有拥有强壮的身体，它们才能在溪水干涸时免受食物短缺的困扰。

如果遇到下雨天，路面就会变得又潮又滑，让人感觉很不舒服。这时，长右和小长长就会躲在岩洞里看书。它们看的所谓“书”，其实就是石壁上的字。

更多的时候，长右都在教小长长识字。在学习的过程中，时间过得飞快，既不会让它们感到难熬，又能让小长长学到知识。等小长长将所有的知识融会贯通后，它们就能走出这片山体，去到那个鸟语花香的世界，那是一个真实的，如同梦境一般的美丽世界。

“长长，长长！”长右大声呼喊着孩子的名字。这孩子跑到哪儿去了呢？往常这个时候，长长最喜欢跟着长右去爬山，去呼吸洞外的新鲜空气，锻炼自己的身体。

太阳光线在洞内移动着，两个时辰过去了，还是看不到小长长的身影，长右都有点着急了，心想这孩子跑到哪儿去了。它心里充满了疑惑，决定去洞外好好找找。

长右一边走，一边闻着小长长留下的气味。不大一会儿，长右就来到了小长长藏身的地方。

只见小长长坐在一块岩石下面，巨大的石板挡住了太阳光，它已经知道太阳光的反射会让它看不清游戏平板的屏幕。

两根手指在屏幕上灵活地滑动着，聚精会神，无师自通。

“长长，你手里拿的是什么？”长右对着儿子问道。长右看到儿子手里拿着一个长方形的机器，是它以前从来没有见过的。

小长长回答道：“我也不知道叫什么，是一个铁皮人给我的，它的眼睛有光亮，它跟我对视的时候，我的脑子里充满了智慧，我就把它留下了。”

长右走过去，看了看小长长，又看了看小长长手里的这个长方形机器。它看上去没有什么危险，长右也就不再纠结了。

长右对小长长说道：“你要是不去爬山，我就自己去了，你玩一会儿早点回去。”

小长长一边看着游戏机屏幕，一边胡乱回应着：“好的，好的。”

要知道，跟着爸爸去爬山，这是小长长以前最喜欢做的事，现在它不去爬山了，却拿起了这个平板一直玩，可见游戏的诱惑远远超过了爬山的诱惑。

三、撒尿时也在玩游戏

“我们今天去山体的最东边，那儿有一条小溪。”长右说道。

“好。”小长长有气无力地回应着，跟以前的小长长判若两人。现在的小长长眼睛就像粘在了游戏上，挪也挪不开。这在以前是从来没有过的事，还没有什么东西让小长长这么痴迷过，这游戏简直把小长长的魂儿都勾走了。

长右看到小长长这种情况，开始担心了。它不怕小长长玩，而是怕这种没有节制的玩会影响小长长的前途。

小长长现在对什么东西都提不起兴趣了，只有游戏能让他精神焕发。

在阴雨天，小长长也不再要求多学习文字了，它的心思都被游戏勾走了。

长右的心里感觉到了一丝不安，可又不知道哪里不对。

它对小长长说道：“你玩可以，但是我说的话你必须听，如果不这样，我就拿走你的游戏平板，让你永远不能玩。”

小长长听完爸爸说的话，有点害怕了。如果爸爸真要发了火，拿走游戏平板，那可怎么办？

想到这，它马上换了一副笑脸，道：“爸爸，我怎么会不听你的话呢！我也只是在无聊的时候玩一玩，我要好好识字，还想去鸟语花香的地方看看。”

长右听了小长长说的话，以为小长长认识到了自己的错误。便说道：“我也不是不让你玩，只是想让你劳逸结合，该学习的时候学习，该玩的时候玩。”

“好的。”小长长一边说着，一边给了爸爸一个飞吻。

一个人的习惯养成非常重要。

如果把走路当成一种习惯，那么不管走多远的路，都不会感觉到太累，还会觉得这能强身健体；但如果把它当成被迫的行为，那就会越走越累。

光秃秃的山上除了石头还是石头，以前，小长长并不会觉得无趣，它会捡起路边的石子朝前面投去，一边走一边投，感觉还没有玩够，目的地就到了。

不知道为什么，小长长觉得今天的路好像越走越长，越走越长，总也到达不了目的地。

长右迈着不紧不慢的步子向前走，一点都没有要停下来的意思。

小长长无奈了，对长右说道："爸爸，我太累了，咱们休息一会儿再走吧。"

"好。"长右嘴里答应着，找了个地方坐了下来。

"爸爸，我去前面找个地方撒泡尿。"小长长对长右说道。

"好，你快去快回。"长右边说边伸了伸胳膊。

"好的。"小长长答应着，一溜烟向前跑去。

来到一块石头的背后，一泡尿溅得水花四起。尿完，小长长找了个干净的地方坐下来，不由自主又拿出了游戏平板。

长右歇了一会儿，还不见小长长过来，便起身去找小长长。

小长长看到爸爸走过来，慌张得赶紧把游戏平板往包里装。长右看到这个情景，愤怒了，它走过去，要夺小长长手里的包，小长长吓得一边后退一边求告："爸爸我错了，我再也不玩了，我听你的话，我好好走路，一直走到喝水的地方，我保证，我保证。"说着举起了右手发誓。

长右看到这，只能无奈地说道："下不为例。"

"好。"小长长答应着，父子俩又一起向前走去。

四、帮助村民吐水

清晨。咚咚咚，咣咣咣。一阵鼓声，一阵锣声，连续不断地在山谷间回荡，像雨点一样扑向人的耳朵。

"快，快。"长右拉起刚睡醒的小长长，向屋外走去。

长右对小长长说道："这锣鼓声是说明百里外的村庄干旱了，村民们祈求我们放水。我们把水吐出来，经过河道，去浇灌他们的庄稼，他们也会祈祷天神保佑我们，我们得到善良的祝福，在某一个时刻，我们就会在天神的帮助下，走出这个山体，去到春暖花开的地方。"

长右的这些知识，都是从山洞的文字中学到的。还有好多未知的内容，学习后就能获知，这也是长右让小长长好好学习的原因。

未知的东西太多，自己的生命又有限，只能让自己和自己的孩子不断学习，这样才不会产生断层。长右相信，如此下去，子子孙孙总有一代会走出这个地方。

小长长慌忙跟着爸爸走出屋外，出屋门前，它还不忘把书包背在身后。

这两天，细雨绵绵，山石上泛着水汽。道路比较湿滑，它们无法走得太快，但走慢了也不行，因为它们必须在中午前赶到指定地点。

据洞里的文字记载，吐水的地方在最西边，在两个山石形成的缝隙里。如果不对准这个地方，水就会向四处流淌，无法形成河流，也就无法流到百里外的村庄。

中午之前，村民们会一直祈祷。这段时间流出的水，天神会感知到，并且会把恩泽记录下来，给想走出这个地方的长右以帮助。如果错过了这个时间，虽然长右仍能帮助村民解决干旱的问题，但长右却无法获得天神的帮助。

这种机遇要好多年才遇得到一次，这是双赢的局面。

想到这些，长右不由得加快了步伐。过了一会儿，它发现小长长落在了后面，便又往回走，牵起长长的手，快速前进。

“到了，到了。”小长长兴奋地叫了起来。以前跟爸爸走路的时候，它来过这里，这里最明显的标志是一根五米长的石柱，石柱从山体上长出来，守护着这里的一切。

长右和小长长站在石头前，长右对着石缝全神贯注地吐起了水。

小长长站在一旁，眼中流露出对父亲深深的敬意，它看到父亲额头上沁出的汗水，以及那份专注且坚定的工作态度，这些情景让原本悬在它心头的担忧逐渐消散，它因此感到无比的安心。

在宁静笼罩四周之时，它不自觉地把手伸进了书包，掏出了那个让它沉迷不已的游戏平板。

习惯的力量犹如无形的雕刻刀，可以塑造人的性格与命运。好的习惯如晨曦破晓，温暖而持久，能够培养一个人的责任感、自律性和毅力，让人终身受益；而坏的习惯则如同暗夜中的陷阱，无声无息地侵蚀掉一个人的上进心和责任心，使人陷入自我放逐的泥沼，最终追悔莫及。

不分场合玩游戏的坏习惯，磨掉了小长长的上进心，使它沉溺于虚拟世界，忘记了责任与追求。

五、外星人的欲望

这天，一个圆滚滚的飞行屋悄然停在了长右家门口，接着从里面走出两个机器人，它们是来自那颗自视甚高的外星的使者。它们对外界生物有看极强的控制欲，不容许任何其他文明凌驾于自己星球的文明之上。

长右体内蕴藏着一种基因密码，一旦发生变异或被激活，将释放出巨大的力量与潜能，这种潜能可能实现生命层次上的跃迁，获得它超越常规生物的认知能力，而这是外星人最不想看到的结局。

通过精密的探测仪器进行探测，外星人得知长右今天会为村民吐水，不在自己的屋子内，因此它们计划借此机会进入长右的屋子，意图控制文明的源头。

外星人喜欢神不知鬼不觉地控制其他生物的心智，以达到他们的阴险目的。

可长右太爱钻研和学习了，它的学识渊博到无懈可击。无奈之下，外星人只能从小长长的身上想办法。

给小长长游戏平板，让游戏迷住小长长的心智，让它养成不好的习惯，不再热衷于学习和研究，这样就能阻滞文明的进步。

可怜的外星人没想到的是，虽然长右没有把游戏平板收走，但它却开始有了警觉，加强了对小长长玩游戏的控制和教育。

六、争吵的机器人

两个机器人见一计不成，又生一计。它们想趁长右和小长长不在的机会，进到屋内，把洞里石壁上的字全部销毁。

这些文字是智慧的结晶，更是指引长右不断向前的灯塔。一旦被销毁，长右将失去精神支柱和进步的方向，陷入混乱与停滞。

其中一个机器人焦急地对同伴说道：“我们必须争分夺秒，如果长右和小长长发现我们的意图，那我们所有的

努力都将付诸东流。”

在外太空环境下，这两个机器人凭借先进的技术，自认为所向披靡，但在这充满生命气息的屋子里，它们身上特有的金属气味成了致命的破绽。

它们手持装满特殊药水的喷雾器，小心翼翼地消除着每一丝可能暴露身份的气息。

“往左一点，不，现在往右！”其中一个机器人一边紧张地指挥着，一边密切注意着周遭的环境。

另一个机器人则因频繁变换的指令显得有些焦躁，它不耐烦地对同伴喊道：“你能不能一次性把话说清楚！到底是往左还是往右？”

面对同伴的不满，另一个机器人无奈地回应道：“我明白你的急切，但哪怕只有一丝缝隙没有覆盖到，都可能导致我们的行动失败。为了确保万无一失，我必须不断调整角度，持续喷洒药水。我都没有抱怨一句，你又何必在此时喋喋不休呢？”

两个机器人的争吵声在空荡荡的屋子内回响，尽管如此，它们还是保持着高度的一致性，小心翼翼地前行，试图悄无声息地完成这次破坏行动。

七、长右突然肚子难受

长右吐完水，扭头看到小长长又在玩游戏，心中顿时腾起一股无名怒火。

这怎么能行呢？在如此重要的场合，在如此关键的细节上，小长长本应认真学习如何控制水流，如何凝聚力量，精准引导水流通过障碍，但它此刻却又玩起了游戏，实在是令人窝火。

面对小长长的这般模样，长右愤慨地抬起手掌，准备严厉教训小长长。在手掌即将落下的瞬间，长右冷静了下来，它想到小长长与游戏平板的相遇过程，发现其中存在着太多的巧合，甚至有些环节显得极为不合理。

长右深知事情并不简单，它决定暂时放下愤怒，深入探究这一连串事件背后的真相。

就在这个紧要关头，一阵突如其来的腹痛打断了长右的思绪。长右痛苦地大叫一声，它猛然醒悟过来——家里恐怕是进了不速之客！

原来，长右每次出门时都会设计一项特别的防御措施，它会拉出一根透明的细线，从屋门一直拉至石洞内的神秘字迹上。

在这根对他人而言几乎隐形的细线上，挂着一根长右的体毛。一旦有物体触碰到这根丝线，便会触发声波传导机制，进而引发体毛震动，使长右立即感知到异动。

设计这种巧妙的警戒系统，既是为了防范任何可能侵扰家园、破坏石壁上古老文字的陌生人，也是为了保护长右辛辛苦苦营造的安宁生活。

八、爆发力燃表

长右在意识到家中可能遭遇危机的那一刻，犹如离弦之箭，疯跑着往家赶。

尽管小长长也想努力跟上，但由于体力不及父亲，再加上近来缺乏锻炼，很快便被远远甩在了后面。

怒火似乎激发了长右的潜能，它的爆发力达到了前所未有的高度。原本需要三个小时的路程，它竟然在短短半小时内就赶到了家门口，这简直令人难以置信。

远远地，长右便看到家门口停着一个圆形的屋子，这让它更加愤怒。这些机器人居然如此大胆，竟敢明目张胆地来到它家。

原本，按照机器人的精确测算，长右从吐水处返回家中至少需要三小时，若带上小长长，则可能需要四小时。

机器人了解长右对小长长的疼爱，深知它不会放心让小长长独自走长途。然而，它们没有料到的是，长右为了保护家族的文明，会放下一切牵挂，毫不犹豫地拼命，将自身的爆发力提升至千倍以上。

长右来到自家门口，它没有急着进屋，而是找到那根透明的细线，通过中间的一个小孔观察屋内的情况。原来这根细线上还有一个小孔，直径像头发丝那么细，但这对于长右来说，已足够用来观察屋内的一切动静了。

两个机器人还在室内争吵不休，他们的速度缓慢得像蜗牛一样，丝毫没有察觉到即将面临的危机。

面对这两个入侵者，长右冷静思考着，它在想如何以最佳策略将它们一举擒获，免得它们逃脱或造成更大的破坏。

九、小长长明白了游戏的危害性

小长长这时也到了家门口，它看到爸爸焦急万分的表情，心知肯定发生了什么严重的事情。它刚想开口询问，长右立刻做出一个制止的动作，显然不愿在此时被打扰。

他将一根透明的细线递给小长长，小长长接过细线，耳边同时传来了一道冷酷的声音。

“我说过了，不行，你们不听，非要去尝试。那个游戏还没完全侵蚀掉它孩子的心智，它就已经开始教育孩子了，让孩子不要沉迷于游戏。”其中一个机器人冷冷地陈述道。

“我们老大本来打算以文明的方式阻止它们进步，所以一开始并没有想着摧毁文字。但事实上，只要时间再长一些，那孩子就会彻底养成玩游戏的习惯，到那时候，谁也无法改变它了。它会忽视其家族的文明传承，这样，它家族的文明就会出现断层，我们的目标也就能够实现了。”另一个机器人接着说道。

“可问题是，它爸最近总是试图帮助人类，如果他们有了直接接触，它们身上的基因可能会发生变异，进而超越我们。我们已经没有多余的时间等待了。”

听到机器人的对话，小长长心中五味杂陈，它对自己过度痴迷游戏的行为感到无比愧疚。

尽管游戏世界充满了诱惑，但归根结底还是因为自己的意志力不够坚定，这才被机器人利用了。

之前爸爸责备自己时，自己还曾有过抵触情绪。如果不是亲眼看见今天发生的这一切，父子俩恐怕又要产生不必要的冲突和不愉快了。

“我以后绝对不会再碰游戏了。”小长长在心中发誓。突然，它感到头痛欲裂，脑波仿佛被熔断了似的。瞬间，它回到了没有沉迷游戏之前的状态。

这时，它想起游戏平板还在包里，便立刻将其拿出来，狠狠地摔在了地上。

长右见状，刚想要阻止，然而为时已晚，游戏平板已被摔得支离破碎。

长右知道这动静肯定会惊动屋里的机器人，于是它立刻推开了屋门。

然而屋子里已经空无一人，只剩下一缕青烟在缭绕着。原来，游戏平板上有个紧急损毁装置，一旦平板被毁，与之相关的机器人也会自动毁灭，这样即使机器人被捕获，长右也无法获取任何信息。

令人想不到的是，小长长的冲动之举竟无意间帮了外星人一把。

小长长看着眼前的场景，感叹道：“这真是太狠毒了，对自己人都毫不留情。”

小长长转过身，紧紧抱住爸爸长右，满怀歉意地说道：“爸爸，我知道错了。从今以后，我一定会努力学习，积极向上，用功掌握知识，为家族文明的发展而奋斗。”

听到儿子诚挚的话语，长右眼中闪烁着欣慰与感动的泪花。长右知道，儿子已经成长了，它已经认识到了自己的错误，并愿意为之改正。

长右紧紧地抱着儿子，那份深沉的父爱，在这一刻得到了释放与回应。

善良的瞿如

瞿　如　《山海经》之南山经

原　文　东五百里，曰祷过之山，其上多金玉，其下多犀兕，多象。有鸟焉，其状如䴔，而白首、三足、人面，其名曰瞿如，其鸣自号也。

译　文　从天虞山往东五百里，有座山名为祷过山，山上蕴藏有丰富的金属和玉石，山下有大量的犀牛、兕和象。山中有一种鸟，形状像䴔，长着白色的脑袋、三只脚，有和人一样的脸，它的名字叫瞿如，它的叫声就像在喊自己的名字。

一、毛五从树上摔了下来

瞿如的家在风景秀丽的南山上，这里的气候四季如春，温暖宜人。充足的降雨量使得山上花卉种类繁多，常年姹紫嫣红，香气扑鼻。

在南山的山坡上，还生长着成片的蓝桉树，这些树高大挺拔，枝叶繁茂，蔚为壮观。蓝桉树的叶子和树皮富含药用成分，村民们常采摘来熬制草药，用于清热解毒、止痒驱虫。

生活在南山上的瞿如与山下的村民们各自保持着宁静的生活节奏，彼此互不打扰，各有各的世界。

然而，一次突如其来的变故，改变了这一切。

毛五家的小女儿因被蚊虫叮咬导致感染，腿上溃脓不止，尽管尝试了多种疗法，却不见好转。

后来毛五托人四处打听，终于从一位隐居山中的老中医那里得知了一个偏方：需要爬到蓝桉树的顶部，在阳光最强烈的地方，采摘蓝桉树的果实，将其捣碎后敷在孩子溃脓的地方，一周后就会痊愈。

为了孩子，毛五毅然决定前往山上，寻找蓝桉树林。

当他来到蓝桉树下时，望着高耸入云的树冠，不禁感到害怕。但一想到女儿的病情，他还是鼓足勇气往上爬。就在他快要到达树顶时，双手突然一滑，他从树上摔了下来，陷入了昏迷。

过了很久毛五才苏醒过来，他感受到身体剧烈的疼痛，但求生的本能驱使着他用尽全身力气大声呼救。

在这紧急关头，毛五声嘶力竭的呼喊声恰好被在附近游玩的瞿如听到了，善良的它毫不犹豫地循着声音跑了过去。

毛五微微睁开眼，映入他眼帘的是一个酷似禽鸟的生物。

它长着三只脚和一张与人脸相似的脸，它的头部是白色的，像雪一样，羽毛则是栗红色的，一双炯炯有神的眼睛，充满了智慧。

毛五对眼前发生的事情感到惊讶不已，但他从对方的眼神和举止中，并没有感受到任何恶意。在紧张的情绪中，毛五颤巍巍地问道：“你是谁？”

瞿如温和地回应道：“我是瞿如，一直生活在这南山上，我们很少出现在人们的生活中。当我听到你的呼救声，便立刻赶来帮忙了。”

毛五深知自己此刻无力自救，于是忍着剧痛，将身上佩戴的一块刻有家族图腾的玉佩解下，小心翼翼地递给了瞿如。他恳切地请求道：“这块玉佩是我们村里的信物，能否请你帮我把它带回村里，告诉村民们我在这里受伤了，需要他们的救援。”

瞿如接过这块寄托着毛五生命希望的玉佩，郑重地点了点头，表示它会尽快将消息传达到，并且保证会引村民前来救助毛五。

然后，瞿如瞬间化为一道红影，消失在了丛林深处，只留下毛五独自在原地等待。

二、族长召集大伙上山救人

南山脚下住着四十多户人家，村民们世代以采玉为生。

打磨出一块玉耗时耗力，村民们把玉卖到离村子一百多公里远的镇子里，这也是村民去过的最远最繁华的地方。

虽然成天与玉石打交道，但村民的生活并不富余，采玉只能维持正常的生活。

村口坐着几位老者，他们靠着石头砌成的山墙，正在晒太阳，看到瞿如到来，老人们面露惊讶之色。一位蓄着长须的老者刚想开口询问，瞿如便抢先一步，它礼貌地向众人行了个礼，说道："老先生好，我是瞿如，我来这里是有一件重要的事情通知大家。在山林中，有一位村民不慎摔伤了腿，情况危急，急需救援。"

瞿如一边说，一边从脖子上取下毛五的玉佩展示给大家看。这块玉佩由上等玉石精雕细琢而成，圆润光滑，泛着温润柔和的光泽。

在这块玉佩上，工匠们细心地刻了一圈毛字，再配以鲜艳的红绳穿系，显得格外醒目。

在场的每一个村民都明白，这正是代表那位受伤村民姓氏的独特信物，因为在他们的村庄，每个人身上都会佩戴一块刻有自家姓氏的玉石，这是辨识彼此身份的重要标志。

一位德高望重的王姓长者听完瞿如紧急传达的消息后，面色凝重。他深知事态严重，立即招呼瞿如靠近一些，以便更详尽地了解情况，并共同商讨对策。

这个平静安详的小村庄，村民们各有各的生计，平日里，年轻人要么在山上采玉，要么就在镇上卖玉，只有在重要的节日庆典时，大家才会难得地聚在一起。然而今日，一场突如其来的变故打破了这份宁静。

救命如救火，族长取出了家中珍藏的响箭。村里每逢遇到特殊事情需要召集大伙儿，族长就会向天空射一支响箭，这是紧急召集的信号。凡是听到响箭的村民，不论此刻身在何处，无论男女老幼，都必须迅速赶到族长家参与议事。

随着响箭破空之声响起，村民们纷纷放下手头的工作，陆陆续续从四面八方赶回了村中。

大家对报信的瞿如很是感激，他们纷纷竖起大拇指，赞扬它的机智勇敢。

瞿如也被村民们的热情感染，知道帮助别人还能获得这么多的快乐，它那颗善良纯真的心也万分欢喜。

在瞿如的带领下，村民们迅速来到山上，找到了陷入困境的毛五，他们齐心协力，用简易担架小心翼翼地将他抬下山，送回了安全的家园。

三、瞿如为大家唱歌跳舞

瞿如见事情已办完，就准备告别众人回去。村民们纷纷涌上前来，挽留这位救命恩人。

族长恳切地说道：“英雄，请留步！您是我们的救命恩人，我们一定要好好地招待您，以表达我们的感激之情。”

族长的话音刚落下，村民们纷纷举杯，向瞿如敬酒，而瞿如也礼貌地回敬。酒酣处，瞿如情不自禁地唱起歌来。那歌声如同天籁，瞬间让喧闹的场面变得鸦雀无声。

瞿如的歌唱得如此美妙，在场的每一个村民，无论年长的还是年幼的，都被瞿如的歌声深深吸引了。这是治愈灵魂的声音，瞿如的长处就是唱歌跳舞。

说来也怪，那些曾经有过痛苦、忧郁或不快的人，在听到瞿如的歌声后，心里瞬间平静如水，没有一丝杂念，剩下的全是快乐。

村民李六因早晨和老婆吵架，肺都快气炸了，到此时还强忍着怒火。但当他听到瞿如的歌声后，那股憋闷已久的愤怒与不快，如同被春风化解的冰雪，瞬间消融殆尽。

李六上前和瞿如干杯，他想和瞿如做朋友，他觉得瞿如是一个可信赖的、善良的生灵。虽然大家都不知道瞿如的歌声有治愈内心的功能，但是都觉得听瞿如唱歌特别舒服，特别快乐。

在大家的掌声中，瞿如也感受到了同乐的欢悦。它走到人群中央，跳起了轻盈的舞蹈。它一边跳，一边打着节拍，优雅的舞姿看得大家如痴如醉。

孩子们也跟在瞿如后面手舞足蹈，接着是年轻的男女，然后是年长的村民，最后连族长也跟着大家扭起来，快乐占据了每一个人的心。

整个村庄都沉浸在欢乐的气氛中，仿佛来到一年一度

的节日庆典。

四、用歌声唤回村民的心智

村民们和瞿如一起玩耍，一起唱歌跳舞，半年多的日子一晃而过。

瞿如的父母因有事外出，家中只留下它和哥哥瞿嘉。瞿嘉一直很关心瞿如，不让它到处乱跑，时刻关注着它的安全，想要尽到一个哥哥的责任。

就这样过了一个多月，瞿如感到孤独和苦闷，就偷偷地溜了出去，来到村里找村民玩。

当瞿如到达村庄时，却发现村庄变得异常安静，往日那些在村口聊天的老人不见了踪影。它来到村子中央，试图寻找那些熟悉的村民，但他们似乎也变得陌生起来，没有了往日的热情，甚至连招呼都不跟瞿如打。他们的脸上没有任何表情，仿佛没有了灵魂。

瞿如心中充满疑惑，它来到好友李六家，希望从他那里得到答案。李六告诉瞿如，有一天，有一只奇怪的鸟飞过村庄，它有两个脑袋，一个白色，一个黑色。那天，它在村子上空放了一个屁，尾巴后面还喷出了一缕烟雾。村民们吸入烟雾后，就变成了现在的样子。

瞿如立刻为村民们进行检查，发现他们的脉搏都异常虚弱，这是吸入烟雾中的毒素所致。瞿如诊断出村民们都患上了抑郁症，他们的快乐被那只双头鸟偷走了。

要想治好村民们的病，就得用歌声来驱散他们内心的阴霾。还必须找到一种特殊的水源，那就是山涧树缝里流出的泉水，这水含有一种特殊的气味，可以唤醒村民们的记忆，帮助他们找回失去的快乐。为了拯救村民们，瞿如不顾自身的危险，毅然踏上了寻找泉水的旅程。

经过漫长的寻找和千辛万苦的努力，瞿如终于找到了那神奇的泉水。它背着水，带着满心欢喜和希望回到了村庄。它用树叶蘸取泉水，轻轻滴在村民们的唇上，然后又唱出了治愈的歌声。

瞿如的歌声如同魔法般神奇，每一个音符都像银针般刺激着村民们的穴位，使他们身体里的毒素逐渐消散。它的歌声越来越响亮，越来越动人，仿佛所有的忧虑和痛苦都被它的歌声带走了。

在瞿如的不懈努力下，村民们的病情开始逐渐好转。他们的脸上重新出现了笑容，眼中也恢复了往日的神采。

连续几天的高强度歌唱，让瞿如的喉咙变得嘶哑。村民们去探望瞿如，感谢它的救命之恩，感谢它唤醒了他们沉睡的心灵，让他们找回了失去的快乐。而瞿如十分谦虚，它只是微笑着说道："这是我应该做的。"

五、李六来找瞿如

清晨，瞿嘉为瞿如做好了早饭，并端到它的床前。

瞿嘉知道，瞿如这段时间一直在为村民们的健康付出，已疲惫不堪，尽管如此，它却从未抱怨过。

瞿嘉和瞿如都是善良的生灵，它们不求回报，只希望能够帮助别人。

瞿如躺在床上，嗓子的疼痛仍未完全消退。经过几天的休养，它的病情有所好转，但喉咙仍然红肿，没有完全消炎。

瞿如静静地望着窗外的蓝桉树，陷入了沉思。阳光温暖地洒在身上，让它感到无比舒适。

瞿嘉特意采来的小野花在床头静静绽放，它们也在享受着这美好的时刻。

“瞿如，瞿如，你在吗？”门外传来了村民李六焦急的呼唤声。瞿如听到后，强忍着喉咙的不适，坐起来回应道：“我在，李哥，你进来吧。”

李六推门而入，看到病榻上的瞿如，眼中闪过一丝愧疚，但当想起郑四曾跟他说过的话，他又很快调整了自己的情绪，尽量显得平静自然。

他对瞿如说道：“是这样的，郑四家的儿子又犯病发呆了，大家都希望你能过去看看，这一趟真是辛苦你了。”

此时，恰好从外边走进来的哥哥瞿嘉听到了李六的话，他心疼地看着瞿如，责备李六道：“李哥，瞿如为了救人已经把自己累倒了，你看它现在这个样子，真的不能再过度劳累了。”

李六听着瞿嘉的话，连连点头，口中喃喃道：“是的，是的。”

善良的瞿如看出了李六内心的纠结与为难，它转头看向哥哥，坚定地说道：“哥，我现在没有大碍，我去去就回。”

说完，瞿如便挣扎着下了床，拖着尚未痊愈的身体，跟着李六向村子里走去。

六、郑四和李六威胁瞿如

瞿如来到村子，受到了村民们的热情欢迎，大家都把它当成了大英雄，纷纷向它打招呼问好。

瞿如微笑着回应着村民们的问候，它的心中充满了温暖和感动。

郑四家在村子的最东头，位置比较偏僻。他家旁边有一个水塘，鸭子们正在水塘里欢快地游着，叫声一个比一个大，仿佛在嬉戏打闹一般。

门口的大黄狗则在追逐小猫，小猫一边跑，一边回头看大黄狗，还不时停下来挑衅它，这把大黄狗气得够呛。大黄狗站在那里，呼哧呼哧地喘着粗气，却又无可奈何。

瞿如推开门，看到郑四正在院子里等着他们。

瞿如迫不及待地问道："孩子在哪？"

郑四却牛头不对马嘴地回应道："先进屋休息休息吧。"瞿如心中有些疑惑，但还是跟着郑四进了屋。

屋子里的光线比较暗，瞿如刚刚坐下，郑四就开口说道："实话跟你说吧，孩子没事，我们只是想让你单独给我们俩唱几首歌。我们听说，多听你的歌，身体会变得强壮，人也会变得更聪明。如果我们变得比别人聪明了，就能挣到更多的钱。我们没有要害你的心，只是想让你多为我们付出一些。如果你不听话，我们就打断你的一条腿。"

瞿如听完郑四的话，无比愤怒，想不到自己的善良变成了别人眼中的软弱，自己的好心成了驴肝肺。

此时，门外响起了急促的敲门声，是哥哥瞿嘉带着族长找来了。瞿嘉担心弟弟的身体没有完全好，所以过来看看它，想不到竟无意中解救了瞿如。

郑四和李六看到族长突然到来，心里升起一丝害怕，一时间也不知道说什么好。只见瞿嘉问瞿如："事情办完了吗？"

瞿如平静地回答道："办完了。"然后它站起来，面无表情地拉着哥哥出了郑四家。

郑四和李六悬着的心放了下来，他们对视了一眼，松了一口气。瞿如和瞿嘉的背影逐渐消失在了黑暗中。

七、哥哥带瞿如看玫瑰花

瞿如跟着哥哥回到家里，一路上，它紧闭双唇，沉默不语，脸上流露出无法掩饰的愤怒和委屈，无声地诉说着它的遭遇。

瞿嘉敏锐地感受到了瞿如异样的情绪，在它反复的追问下，瞿如终于将憋在心里的苦水倾泻而出。

瞿嘉听罢，语重心长地对瞿如说道："做个善良的生灵是对的，但是要有底线和原则，要敢于表达自己的意见与想法。一味地退让，换来的不一定是感激，很可能是对方的得寸进尺。"

瞿嘉一边说，一边安抚瞿如起伏的情绪。接着它又说道："保持一颗善心确实重要，但这不代表我们要对所有人都毫无保留地付出，没有底线的善意并不能换来真正的尊重。当我们的善良失去了原则，便很可能间接纵容恶行的滋生。"

听完哥哥的话，瞿如心中五味杂陈，默默地点了点头。

这次事件过后，那个热爱唱歌跳舞的瞿如不见了。它要么独自待在家里，要么就在山坡上发呆，看到人便会躲起来，仿佛害怕再次受到伤害。

连续几个星期，瞿如始终郁郁寡欢，即便跟哥哥瞿嘉聊天，也只是寥寥数语，回应得十分勉强。

“瞿如，过来一下。”坐在窗前的瞿如听见哥哥叫自己，站起身来，拖着沉重的步伐走出房间。

瞿嘉看着瞿如落寞的样子，轻声道：“今天我带你出去看花。”

“花有什么好看的？这满山遍野的花，天天见，有什么新鲜的？”瞿如扭过头去，话语中满是淡漠。

瞿嘉却笑着回答道：“你去了就知道了，哥哥给你讲些和花儿有关的故事。”

一提讲故事，瞿如总算来了兴致，它的眼中闪过一丝亮光，道：“好，我们现在就走。”

天上的白云一朵一朵，像棉花一样轻盈地飘浮着，天空湛蓝，像被子一样笼罩着大地。太阳光一缕一缕地洒落在大地上，亲吻着草木，万物也充满了生机。

瞿如原本压抑的心情，在这样的环境中得到了释放。望着这一望无际的山坡，瞿如眼中充满了好奇。它问哥哥：“我们要去哪里？”

瞿嘉回答道：“过了这个小山坡就到了。”

说着说着，兄弟俩就翻过了山坡。眼前的美景让瞿如惊叹不已，玫瑰竞相开放，红玫瑰、黄玫瑰、白玫瑰、黑玫瑰、粉玫瑰、蓝玫瑰、紫玫瑰……花团锦簇，非常漂亮。

玫瑰花的枝干上布满密密麻麻的针刺，它们尖锐且坚韧，像忠诚的卫士一样保护着娇艳欲滴的花朵不受外界侵扰。

瞿嘉看着满园的玫瑰，转头问瞿如道：“你觉得这些玫瑰花美吗？”

瞿如的眼中闪烁着光芒，回答道：“美。”

瞿嘉知道，因为郑四、李六的事情，瞿如受到了很大的伤害。他告诉瞿如：“你不能用别人的错误惩罚自己，你要学习做一朵玫瑰，当有人试图伤害你的时候，你要勇敢地亮出你的刺，保护自己，而不是封闭自己。善良没有错，但善良要是没有长出刺来，那就是软弱。你不勇敢，没人替你坚强。”

瞿如觉得哥哥的话很有道理，它心里的阴霾渐渐散去，就像太阳驱散了乌云。瞿如又变回了从前那个瞿如，它终于从阴影中走出来了。

八、瞿如重新回到村子里

“哥哥，你这段时间去哪儿了？我们都好想你。”

听见声音，瞿如转头一看，是毛五家那个活泼可爱的小姑娘，她正满眼期待地望着自己。

小姑娘的眼神清澈明亮，透着纯真和亲近，这让瞿如心中一暖，但它又因无法立即给出答案而感到些许尴尬。

“我……我……我……”瞿如支吾着，也不知道该怎

么解释。为了化解这份尴尬，瞿如赶忙拉起小姑娘的手，笑着说道："哥哥给你跳个舞吧。"

小姑娘听到这话，立刻拍着手欢呼起来："好啊好啊，哥哥你跳舞最好看了！"

瞿如牵着小姑娘的手，一起向族长家走去。小姑娘一边走一边开心地说道："哥哥，我们现在就去族长爷爷家吧，大家都想见你，我们可以一起跳舞给大家看。"

瞿如温和地回应道："好的，咱们这就去。"

在前往族长家的路上，瞿如好奇地问小姑娘为何会在路口等它，小姑娘一脸认真地回答道："我已经在这里等你好久好久了，差不多快一个月了呢！我喜欢听你唱歌，喜欢看你跳舞，跟你一起的时候我总是特别开心快乐。大家都很想念你，都盼着见你呢！"

听着小姑娘真诚的话语，瞿如心头涌上一股暖流，原来自己的一举一动都牵动着这么多人的心，大千世界，尽管难免会有坏人存在，但善良和真情依然处处可见。

族长正坐在屋子的正中央，他周围还坐着三位德高望重的老人，他们都是村里的智者。此刻，他们正在讨论瞿如长时间没有来村里的原因，想知道究竟发生了什么事。

一位老者猜测道："会不会是因为上次为救全村的村民，瞿如用尽了全力，身上的灵力消耗殆尽，需要找一个地方静养恢复？"

另一位老者则反驳道："我看不是，瞿如是上天赐给大地的神鸟，它身上的灵力就如同我们身上的力气，干活干累了，歇一歇，身体自然又会有劲了。”

那是因为什么呢？大家想不明白真实原因。

灰衣老者突然站起来，提出了一个令人震惊的观点，他说道：“难道有人要害瞿如？”说完，连他自己也觉得有点不可思议。“不可能，毕竟他刚刚拯救了整个村子。”灰衣老者随即又摇头自言自语道。

“知人知面不知心，也许真有可能。”这时，坐在族长左边的老者也站了起来，接着他又说道：“以前大家不知道瞿如的歌声能治愈坏心情，能让人更聪明，还能强身。现在瞿如为了救人，不得不释放自己的灵力，所以就有人起了歹心。”

这也许是这么长时间没有见到瞿如的唯一合理解释。自打瞿如上次救了大家，大家已把它当成了村里的一分子。

族长跟大家又商议了一会儿，他决定在村里进行秘密调查，看有没有谁伤害过瞿如。他们不知道的是，瞿如在哥哥瞿嘉的帮助下，已经解开了心结，现在正带着答案向村子走来，它要向族长说明一切，不让好人受苦，也不让坏人逍遥法外。

正当众人还在屋里商议时，一个小男孩急匆匆跑了进来，他跑得满脸通红，急切地喊道：“族长，族长，瞿如回来了！毛姐姐正陪着它朝这边走呢！”

族长一听，欣喜若狂，连忙带着所有人走出屋子，迎接瞿如的归来。

瞿如走进院子，看到族长和老者们都在院子里等候，不禁有些感动，眼眶也微微湿润了。他们在屋内寒暄过后，瞿如便将这段时间的经历娓娓道来，大家这才明白最近见不到瞿如的原因。

族长决定把李六、郑四找来，在全体村民面前进行教育，让他们明白善恶有报的道理，让正义得到伸张，也让善良不被辜负。

九、快乐是双通道

村口水井旁的古树上挂着一口大钟，此时，一个精壮有力的小伙子拉响了钟。钟鸣声在静谧的乡村回荡，村民们闻声而动，纷纷放下手中的活计，陆陆续续向族长家走去。

族长家的院子宽敞而开阔，院中央搭建有一个简易的台子，台下坐满了前来集合的村民。他们面带疑惑，交头接耳，揣测着这次族长召集大家并搭台子的目的。

这时，族长从屋内慢慢走出，他的身后紧随着三位德高望重的老者，以及深受村民喜爱的瞿如。村民们一看到瞿如，脸上顿时洋溢出喜悦之情，热烈的掌声瞬间打破了沉寂的氛围。

族长抬手示意大家安静下来，随后将李六和郑四近期所犯之事公之于众。村民们听后无不义愤填膺，几个性急的村民立刻把低着头、悄悄四处张望的李六和郑四拉到了众人面前。

“这两个忘恩负义的家伙！”一个村民厉声说道。

“必须严惩！不懂感恩，良心都被狗吃了！”另一个村民愤慨地附和着。

村民们你一言我一语，对李六和郑四的行为进行了激烈的声讨。面对大家的指责，李六和郑四在羞愧中念诵了悔过书，并保证以后绝不再犯类似的错误。

接下来，族长宣布了一件令村民们惊讶又欣喜的事情：瞿如愿意每天抽出时间，用它的歌声为大家带来智慧与力量。让大家的心智更加聪明，身体更为强壮，从而更容易找到珍贵的玉石，让村民们的日子越来越富裕。

听到这个消息，村民们对瞿如充满了感激与敬仰，那种情感无法用言语表达，他们只能以一阵又一阵雷鸣般的掌声回应。

瞿如也借此机会对大家说：“人非圣贤，孰能无过？犯错其实不可怕，真正可怕的是知错不改，执迷不悟。但只要勇于改正错误，就能重新赢得尊重。”

李六和郑四听了瞿如的话，心中愧疚万分，他们恨不得找个地缝钻进去，同时也为瞿如的宽广胸怀深感震撼。两人当众发誓要用实际行动来弥补自己的过错。

正如瞿如所传达的理念，快乐是可以相互传递的，别人快乐的同时，自己也会感到快乐，瞿如就是这样做的。在大家的掌声中，瞿如走上了院子中央的台子，放声为大家唱起歌来，村庄沉浸在了悠扬婉转的歌声里。

附录

生僻字词注音解释：

人鱼：长着人的面孔，有四只脚的鱼。

浑不吝（lìn）：北京方言，形容什么都不在乎。

马腹（fù）：人面虎身的食人兽。

喋（dié）喋不休：唠唠叨叨，说个没完。

䴔（jiāo）：古代传说中的一种水鸟。

瞿（qú）如：三足人脸的神鸟。